U0944079

萧乾 主编

新编文史笔记丛书

第二辑

19

鷄林採珍

意庵题

吉林省文史研究馆 编

孙晓野 杨蔚宾 丁朝玉 主编

中華書局

目录

政治风云

名人轶事

抗敌史迹

伪满索记

社会百态

文苑医林

剧坛影事

特产饮食

民族风情

追古揽胜

序

萧　乾

读书界向来对野史有所偏爱。野史大多是信手拈来的历史片断，且往往出自亲历者之手。文直事核，不虚美，不隐恶，而文笔潇洒自如，意味隽永，自然朴实，篇幅不长；可以摊开来仔细咀嚼，也可供茶余酒后、行旅倥偬中，随手浏览。

鲁迅在《华盖集》中，曾几次对野史表示过好感。在《忽然想到》一文中写道："历史上都写着中国的灵魂，指示着将来的命运，只因为涂饰太厚，废话太多，所以很不容易察出底细来。正如通过密叶投射在莓苔上面的月光，只看见点点碎影。但如看野史和杂记，可更容易了然了，因为他们究竟不必太摆史官的架子。”又在同书《这个与那个》一文中说：“野史和杂说自然也免不了有讹传，挟恩怨，但看往事却可以较分明，因为它究竟不像正史那样地装腔作势。”

全国文史研究馆所编的《新编文史笔记》丛书，内容也属野史杂说的范畴。我们希望这些以亲闻、亲见、亲历为主的轶事掌故、琐闻杂记，写人、事而摒除误会曲解，述历史而符合真实面目。

作为一种短隽有味，文字清奇而又雅俗共赏的文学体裁，笔记在中国具有悠久的传统。它始自魏晋，盛行于宋代。南朝刘义庆的《世说新语》，北宋沈括的《梦溪笔谈》，南宋陆游的《老学庵笔记》，明朝张岱的《陶庵梦忆》，清朝纪昀的《阅微草堂笔记》以及20世纪30年代初丰子恺的《缘缘堂随笔》，都是文学史上的奇葩。然而，近年来笔记乏人问津。因此，我们出这一套书，也包含着挽回颓势之意。

全国三十二所文史研究馆拥有雄厚的稿源，两千多位馆员和各馆联系的社会人士，都是丛书的撰稿人。他们都是文史界的耆宿，见多识广，阅历丰富：有的反对过帝制，有的在“五四”运动中扛过大旗，他们目睹过军阀的横行霸道，也经历过艰苦卓绝的八年抗战。这些历尽沧桑的饱学之士，他们的所见所闻，都是弥足珍贵的史料。

本丛书分辑出版，分别由各地文史研究馆编辑，内容亦以本乡本土为主。因此，各册势必具有浓厚的地方色彩。

本着笔记固有的传统，所收各文题材不嫌庞杂。举凡与文史有关的政治、经济、军事、文化、社会等方面，或记闻见杂事，或叙往昔交游，或忆社会百态，均在搜罗之列。时间跨度则自清末以迄 1949 年为止。这正是中华民族从闭关自守到走向世界，从落后羸弱到奋发图强，是天翻地覆、风起云涌的大半个世纪。其间，发生过多少可歌可泣的事迹，涌现过多少杰出的人物。以这一时间跨度为背景题材写出的笔记作品，必然是内容最为丰厚的。

在选稿标准上，我们坚持史料一定要真，内容要新；既要防止以讹传讹，也力避炒冷饭。在写法上务求短小精悍、生动活泼。每篇以千字为度，希望借此在文风方面，提倡一下简约。在版式上，则想做到既利于阅读，又便于携带。

恳切希望文史界方家及广大读者，不吝赐正。

义和团在吉林

王　瑛

1900年在中国北方爆发的义和团反帝爱国运动，很快地波及到吉林省，在吉林、长春、伊通、磐石等地都有义和团设坛练拳。吉林市的药王庙、观音堂、节孝祠、关帝庙和文昌宫等各教练场都高高挂着一面红色的三角旗，旗上书有“坎”字。昼夜招人操练拳术。

吉林义和团反帝斗争的主要目标是打击沙俄侵略势力，拆毁其所敷设的铁路。7月18日烧掉了长春城西小孤榆树沙俄修建的房屋；20日又烧掉了长春城内的天主教堂、城外的耶稣教堂，以及二道沟火车站；25 日，吉林省城的义和团民烧毁了由教会开办的医院、河湾子天主教堂、市内魁星楼东的天主教堂等。

当 7 月 30 日沙俄军侵入吉林省珲春县后，吉林将军长顺曾要求义和团首领派遣吉林省城的义和团民百名前去珲春助威。

8 月，帝国主义列强组织的“八国联军”攻进北京。清政府屈服列强，对义和团运动的态度也由过去的认许转为开始血腥的屠杀。吉林将军长顺也从过去请求义和团民协助清军助战转而围剿和镇压，8 月 14 日晚，秘密派人刺杀了吉林义和团首领敬际信大法师，对广大的团民则大肆搜捕、屠杀。吉林义和团运动在帝国主义和封建势力双重镇压下失败了。

圆明园浩劫的目击者宝鋆

赵友三

宝鋆(1807—1891)，字佩蘅，姓索绰络氏，为满洲镶白旗人，其家世代居于吉林。

道光十八年(1838)，他三十一岁，考取进士，留京任礼部主事，后又历学士、礼部侍郎兼正红旗蒙古副都统、浙江乡试考官等职，以廉洁、干练著称。至咸丰十年(1860)，他又升任内务府大臣，掌管户部三库并负责管理皇家苑囿玉泉山、香山、瓮山等三山事宜。

当时的北京西郊，集中了清室王公贵族的各类苑囿，著名的皇家园林圆明园也坐落在这里。圆明园占地五千二百亩，方圆十余公里，是康熙年间在明代园林的基础上兴建起来的一座大型苑囿。又经雍正、乾隆、嘉庆、道光以及咸丰等代帝王一百五十年的极力经营，它已成为一座景色极为秀丽幽美的宏伟园林。园内先后建造了一百四十余座华丽的各式宫殿，又凭借丰富的地下泉水凿湖筑山，精心点缀，构成了无数千姿百态的风景点。它既汇集了全国山川园林之胜景，又极尽了巧夺天工之技艺，因此盛名远播，成为名满天下的“万园之园”。为了保卫这座园林，清廷曾设有圆明园八旗鸟枪营，拥有各类警卫近万人。然而当1860年10月入侵的英法联军迫近北京时，清军在八里桥战败，守卫圆明园的近万名警卫都作鸟兽散，“绝无一卒一骑出而御之”，于是，进入北京西郊的英法联军如入无人之境，轻而易举地进占了圆明园，大肆抢掠和破坏。据英国随军记者当时报道：“在场的每一个军人都掠夺很多。”

当这场惨祸发生的时候，担任总管内务府大臣的宝鋆正困守在北京城。作为一名文职官员，他没有兵权，因此只能在北京城里为保卫京帅尽一点心力。当侵略军纵火焚烧圆明园的时候，他在城墙上“遥见西北火光烛天”，目睹帝国主义强盗的野蛮兽行，立即于10月12日向逃亡热河的咸丰皇帝上一道奏折，报告了在侵略

军的破坏下所遭受的各种惨状。

毁掉了圆明园之后，英法联军又窜到了清漪园、静宜园等处继续劫掠。几天后，宝鋆在另一道奏折中又向咸丰皇帝报告了侵略军“将各殿陈设抢掠，大件多有损伤，小件尽行抢去，并本处印信一并丢失”，以及清漪园主管郎泰清因遭凌辱而全家自焚殉难的悲惨情景。这些文字是国内关于这场灾难的最早记载。

这时，逃亡热河的咸丰帝奕詝早已吓得六神无主，一心只想屈辱求和。在他的指令下，由恭亲王奕䜣出面，同英、法两国分别签订了丧权辱国的《北京条约》。另一方面，咸丰帝又迁怒臣属，把误国的责任四处推诿。当他接到宝鋆的奏折后，不但不为自己率先逃命感到愧疚，反而斥责臣子未能尽忠，将宝鋆降为“五品顶戴”。

不久，咸丰帝在热河病故。慈禧太后通过祺祥政变掌握了政权。这时由于奕䜣的保举，宝鋆恢复原品，在军机处供职，并出任总理衙门大臣、户部尚书等职，与奕䜣等人一起办理“洋务”。以后宝鋆又与文庆等人共同编纂了一部题为《筹办夷务始末》的文献汇编，为近代史留下珍贵的史料。

光绪十二年(1886)宝鋆年老退休，光绪十七年(1891)病故，以“忠清亮直，练达老成”的政绩被清廷追赠为太保，入“贤良祠”。

李澍恩推行新政

杨蔚宾

清朝末年，政治腐败，国弱民穷，帝国主义国家妄图瓜分中国。为了御外图强，北京发生了“百日维新”运动，维新变法很快影响到全国。农安县知县李澍恩，便是以积极推行新政而著称的人物。

李澍恩，江苏无锡县人，青年时留学日本，在宏文学院毕业。回国后，1908年5月接任农安县知县，时年二十九岁。由于他受康梁变法思潮的影响，接任知县后，积极推行新政。他任期虽然只有一年多时间，却办了多件有益于人民的好事。

农安县刚开发不久，经济状况比较落后，为了振兴农业，发展生产，李澍恩创办了全省最早的县办农事试验场，进行良种培育，病虫害防治，林、果、蔬菜栽培，耕作方法试验。他还张贴布告，劝谕城乡民众植树造林。一次下乡视察，他看到小城子刘所长屯有个五垧多地的果园，非常高兴，就为这家题字挂匾，鼓励继续发展果树生产。他在县城创办了官办工厂，积极发展工业。当时农安的酿酒、纺织等工业全省著名。生产的白酒、布匹，畅销郭尔罗斯前旗、扶余、乾安

等地。

李澍恩见县内教育落后，只有少数私塾，便在县城创建了师范讲习所，为小学教育培训师资；还设立了劝学所，动员青少年上学读书；并把全县的私塾改为私立小学堂；创建了女子小学堂、蒙古小学堂、农业学堂、商业学堂。县内文童(清代读书人考取功名前统称文童，考取后称为秀才)张中阁、田少膺，见李知县热心办教育，很受感动，自愿为县城初、高两级小学堂捐赠白银二千三百两，做学校的经费。他还创建了图书馆、陈列馆，出刊杂志，宣传新思想、新知识，推广白话文，发展文化教育事业。

当时，县衙的门丁、班头衙役，经常勒索、欺压群众。李澍恩对旧政这些弊端深恶痛绝，大刀阔斧地进行改革。他果断地裁掉门丁，选用清廉的专职收发人员。淘汰掉班头衙役，改用巡警。他在县衙前安设禀事箱，民众的诉讼书可以随时投入，定期开箱处理。并向民众公布诉讼费金额，多收按贪污论处。他还发布了《劝民息讼布告》，主张民事纷争以自己调解为主，严禁巡警私设公堂，侵犯人权。经过改革，县衙贪污受贿之风基本收敛，政务为之一新。

李澍恩重视调查研究，总结经验，将各项新政的成就，编成两本《报告书》，受到清朝政府的嘉奖。他为官清廉，政绩卓著，深受全县人民的拥护和爱戴。1909年，李澍恩调离农安时，带走的仍是来任时的两个木箱，别无他物。全县各界人士特为他撰文立碑，以表纪念。

宋教仁联络“马贼”反清

王　瑛

孙中山领导的资产阶级民主革命经过几次起义失败之后，同盟会的主要领导人之一的宋教仁，积极主张：“中央革命，联络地方军队，以东三省为后援，一举而占北京，然后号令全国。”1907年，孙中山乃派宋教仁偕白逾桓、吴昆等人来东北。

宋教仁在吉林市东关创办一个木植公司，以老板为掩护开展革命活动。宋教仁活动的主要方面是想联络分散在各地而又众多的“马贼”(又称红胡子)参加武装起义。宋教仁早在1905年《二十世纪之支那》创刊号上撰写文章说：“如能邀得‘马贼’共同起事，则易于摇撼清廷根基。”当时在东三省“马贼”势盛，遍布各地，他们善于骑射，骁勇善战，是一批战斗力很强的武装集团，所以在东北活动的大多数革命党人，也都主张利用“马贼”具有反抗列强，反抗清廷政府的一面，争取他们参加革命。宋教仁一到东北，首先就致书各路“马贼”首领，要求与之修好结盟，共图大举。然后，又亲自往见专与俄人作对的刘单子和“拥有护矿武装数千人”的韩登举(“韩边外”之孙)。宋教仁等经过几个月的努力已

"遍通关东大侠",有三十六个"马贼"头目与革命党人结盟。为此,宋教仁制定了一个"欲袭据辽宁,逼榆关,窥燕京"的起义计划。但不幸正在这时招兵事露,白逾桓被捕,宋教仁乃不得不离开东北,返回日本东京,向孙中山复命。

宋教仁论述"间岛问题"

李树藩

宋教仁(1882—1913),湖南桃源人,是我国近代史上著名的资产阶级革命家。他于1907年3月首途来东北后,4至6月间回抵辽宁省安东县(今丹东市),联合东北各地革命党人成立同盟会辽东支部, 又到吉林夹皮沟亲访民团首领韩登举, 劝其举起义旗参加同盟会的反清革命斗争。后者虽未如愿,宋教仁却从中了解到日本侵略者制造"间岛问题"的罪恶阴谋。

所谓"间岛",原来只是图们江中一块小沙洲。康熙五十一年(1712)中朝两国以江为界,小沙洲在中国一侧。日俄战争后,日本吞并朝鲜,侵略中国之野心进一步膨胀, 便以沙洲上有朝鲜农民越江耕种为借口,硬说沙洲是韩国领土,进而随意扩大"间岛"范围,把我延吉、汪清、和龙、珲春等县区划入其中,公然派驻警宪人员,酿成一起强占中国疆土的外交重案。

宋教仁得知后,立即着手研究“间岛问题”。他查阅大量资料,写出一部《间岛问题》专著,详尽论述了“间岛”的地理位置、历史沿革、“间岛问题”的产生、争议及解决办法,并从国际法角度判明了“间岛”的归属。此专著成为清政府1909年9月对日交涉的依据,粉碎了日本侵略者妄图窃取“间岛”的阴谋。事后,清政府赏赐宋教仁“四品京官”,他表示:“我是革命党人,岂能当满清政府的官,写这本书是为中国,不是为满清政府!”表现了坚定的革命立场和爱国情怀。

熊成基在吉林

胡绵书

1909年,革命党人、同盟会会员熊成基受黄兴指派来东北三省,联络组织革命起义,化名张达勋,3月经沈阳到长春进行革命活动。在长春联络了《长春日报》创办人、同盟会员蒋大同,编辑周晋生和商人臧贯三。因臧为人奸诈,未被熊识破,在一次酒后,熊成基暴露了真名,被臧在吉林巡抚陈昭常来长迎送清廷海军大臣载洵回京时,向陈昭常告密,而被陈指派巡防中路马队第一营管带刘爕松、长春府警务长陈友璋,于1910年1月30日在哈尔滨宾如客栈逮捕。1月31日熊成基被押在长春监狱,吉林巡抚陈昭常

不顾年关封印的规定，于2月4日又把熊成基转送到吉林监狱。当时，在吉林巡抚衙门任日文翻译的同盟会员廖仲恺多方营救无效，活动在东北三省的其他同盟会员等，试图劫狱，也未成功。宣统二年(1910)正月四五日，烈士写下磊磊落落倾吐胸怀的壮言。胆战心惊的陈昭常叫熊成基在“自供词”上按押，熊成基执笔最后写下“革命”两字代替手押。1910年2月27日，阴历正月十八日，熊成基走向刑场，沿途对群众高声说：“诸君！诸君！勿疑我是为盗为奸之凶徒，我固一慈善之革命军人也。”在吉林巴虎门外刑场，熊成基犹高声宣布其革命宗旨，刽子手使之跪，熊不屈。面对围观的吉林民众，熊成基最后高声说：“……今生已矣！我死厥继我而起者大有徒也！”慷慨就义，年仅二十四岁。熊成基英勇就义，极大地激励了吉林人民的革命热情。

1912年4月，为了悼念熊成基烈士，在省城巴虎门外举行追悼会，会上有东北筹边使章炳麟(章太炎)送的挽联，上联：“早到三年也同成国事重犯”，下联：“蠢尔元凶敢来吊革命先驱”。当时杀害烈士的陈昭常在场，他看到挽联，羞愧退场。烈士的灵柩，即在是年夏季汛期，用大木船运到德惠县陶赖昭(今属扶余市)转乘中东铁路，经南满、京奉、津浦路而归梓于安徽省安庆。

廖仲恺和“间岛问题”

王　瑛

廖仲恺，广东惠阳人。1905 年加入中国同盟会。1909 年，受孙中山先生委派来吉林从事革命活动，主要是做吉林地方军政要员的策反工作。当时，孙中山由于国内起义几经失败，认识到要起义成功，除有足够的经费外，还要做好统治阶级内部的分化瓦解工作。于是派廖仲恺来吉林利用同乡关系，在吉林巡抚陈昭常幕下当翻译，以此职务为掩护，开展革命活动。在此之前，廖仲恺曾来过吉林。当时正值光绪三十三年(1907)日本帝国主义在吉林省制造“间岛问题”，企图吞食吉林省东部延吉一带的主权。

日俄战后，日本吞并朝鲜，1907 年 8 月派兵侵入“间岛”，强行设立军政机构。清政府乃任命吴禄贞为延吉边务帮办，去延吉与日本方面交涉。廖仲恺也被派往延吉帮助吴禄贞办理交涉事宜。经过吴禄贞、廖仲恺等据理力争，日本不得不承认“间岛”为中国领土，并退出被其侵占的地方。廖仲恺由于“间岛”交涉事宜，而结识了一些军政人物。

廖仲恺这次来吉林，积极联络吉林进步人士，宣传革命思想，因而使得一些人走上了资产阶级民主革命的道路。如满族进步人士松毓等就在他的影响下筹办了自治会，创办了民报。又如当时在东北号称“士官三杰”的第二混成协协统蓝天蔚、第二十镇统制张绍曾、第六镇统制吴禄贞三人，他们都是留日士官生，与廖仲恺等革命党人有联系，其中蓝天蔚还成为东北地区辛亥革命运动的主要领导人之一。

但当时由于清廷严密防范，策反工作未能付诸实现。

记先父柏文蔚

柏 立

先父柏文蔚(1876—1947)是近代追随伟大民主主义先驱者孙中山先生的革命家之一，也是一位名震遐迩的军事家。他热爱祖国，与共产党合作，为反帝反封建奋斗终生。

柏文蔚从小就立志有所作为。在求学期间，目睹清廷腐败无能，外侮日亟，民不聊生，内心激愤，常与校内有志之士抨击时政，酝酿反清斗争。并联络、发起组织励志学社，筹款购置图书，充实藏书楼。并在藏书楼内召开会议，发表革命演说，唤醒民众进行革命。在从事教育工作期间，与陈独秀等秘密创建革命团体“岳王会”，效岳飞精忠报国，进行反清革命，与孙中山在海外组织的兴中会遥相呼应,并加入同盟会。1907—1911 年,柏文蔚奉命在东北延边、长春、奉天、哈尔滨进行革命活动,为起义作准备。武昌起义爆发,柏文蔚立即南下,参加起义,被任命为革命军第一军军长,兼北伐联军总指挥。他率部光复南京,攻克徐州,战功显赫。袁世凯曾遣人馈赠巨款百万,欲收买柏为己用,被柏严词拒绝。1913 年,袁世凯公然向革命军挑战,柏文蔚率先通电反对袁世凯,与江西都督李烈钧、湖南都督谭延闿、广东都督胡汉民成为著名的“讨袁四督”。二次革命失败,袁世凯悬赏十万大洋,购柏之首,柏逃亡日本、南洋,继续进行反袁活动。

柏文蔚力主国共合作,他与陈独秀有着深厚的友谊。在他任安徽都督时,委陈独秀为秘书长。凡安徽施政措施,诸如充实行政机构、整顿财政开支、兴办教育、解放妇女、破除迷信、实行禁烟等,陈莫不参与其事,襄助甚力。讨袁失败后,先父与陈同避居日本,成了患难之交。回国后,陈介绍先父认识了苏联代表越飞。1923 年,先父偕陈独秀和越飞赴广州介绍他们和孙中山见面,共同研究国共合作问题。随即受孙中山先生指派,参加党务改组工作,在李大钊、廖仲恺、陈独秀、谭平山共同努力下,协助孙中山先生成立了国民党临时中央委员会,聘请鲍罗廷为顾问,起草改组宣言及党纲草案,确定“联俄、联共、扶助农工”三大政策。1924 年 1 月,召开国民党第一次全国代表大会,正式形成以国共合作为基础的革命统一战线。

杜重远早期领导的一次抗日活动

杜力英

早年，我父杜重远曾组织领导过奉天(沈阳)商民声援拒日临江设领的斗争。父亲是吉林省公主岭市人，1917年，他怀着“实业救国”的理想以洮昌道尹公署官费生赴日留学。1922年毕业归国，在奉天集资创办了东北第一机械陶瓷厂——奉天肇新窑业公司。他受到商民拥护，一致推选他担任总商会副会长。

1927年春，日本政府强行在临江设立领事分馆，明目张胆地侵犯我国领土主权，遭到当地爱国官兵的强烈反抗。我父亲得此讯息后，他以商会名义召开奉天各民众团体大会，组成奉天市民工商拒日临江设领外交后援会。会上他当选为会长，为这场斗争日夜奔忙。紧接着又传来日本田中内阁“东方会议”制定的秘密“满蒙”内容。他立即召开全市工商联合紧急大会。在会上他揭露了日本帝国主义长期阴谋侵略东北的史实和罪行。会议决定发动奉天商民举行抗议示威，并开展抵制日货运动。会后，发表了五千言的《泣告东三省父老兄弟姊妹书》。

9月4日这一天，奉天城内外商号一致罢市，十万商民高举“打倒田中内阁”、“反对临江设领”等标语，走上街头。游行队伍由总商会的消防车、警视厅的保安队和乐队为先导，父亲和其他爱国志士站在宣传车上带领游行队伍缓缓前进。一路上军乐齐奏，抗日歌声雄壮，口号震天。在满铁奉天公所(今沈阳市图书馆)、省议会、日本满洲银行等处门前，他发表了慷慨激昂的讲演。这次抗日救国活动，在东北和全国产生了很大反响，唤起广大民众为抗日救国而斗争。在东北各界人民团结一致的反抗下，在全国人民愤怒的声援中，日本帝国主义慑于中国人民的强大威力，终于撤销了临江领事分馆，调回了领事分馆人员。这是一次伟大的斗争，正义的中国人民终于取得了胜利。

黄大定告密

于国谦

黄大定，乃黄永安之别名。1936年西安事变前夕，东北军炮兵六旅驻洛阳训练，旅长黄大定在12月11日夜半收到西安张学良将军密电：

六旅旅长黄永安：火速协同洛军分校军士总队长刘海波，控制洛军分校，并占领飞机场、洛阳银行和要害部门。

黄大定收到急电后，彷徨无措，因炮六旅只有炮兵两个营、步兵一个营，连同刘海波的军士队，也不过一个步兵团的实力。刘掌握的军士队，大队长以下各级军官，黄埔军校毕业生占一半以上。能否顺利完成张学良电令，实难预料。当时洛阳军官分校主任祝绍周可以指挥的兵力远比一个团的兵力多。

面对相差悬殊的兵力，黄大定一再犹豫不定。次日黎明五时，黄亲去祝绍周住所告密，遂使张学良控制洛阳要害部门的计划未能实现。

以后黄大定因告密有功，升任国民党炮兵中将。

罗大愚事件

于本厚

1945年5月23日，日伪警宪特务机关经过长期阴谋策划，以伪满首都"长春"地方保安局(隐藏在伪首都警察厅内，对外称治安分室)为中心，在东北各地发动大逮捕。国民党东北地下党务专员罗大愚及辽、吉、黑三省和长、哈两市党务专员办事处的主要领导人悉数被捕，数千名党员惨遭逮捕或杀害，无辜群众受株连入狱者数以百计。这就是日本侵略者制造的震惊东北的“罗大愚事件”(又称“五·二三事件”)。

罗大愚(1909—1973)原名罗庆春,化名魏忠诚,辽宁省辽阳县人,北平中国大学毕业。

1935年冬,国民党中组部长朱家骅委派罗为辽宁省党务专员,命他在东北沦陷区开辟敌后建党和搜集情报工作。罗接受任务后,首先在日本以入东京法政大学经济部研究生为掩护,广泛接触东北籍留学生,与他们培养感情,建立友谊,启发他们的民族意识,很快在辽阳留日同乡中,发起成立秘密抗日团体——“东京读书会”,参加的有:赵允衡(东京高师)、高士嘉(京都帝大)、张宝慈(东京高师)和刘世恒(东京帝大)等人。经过一段培训和考验,第二年5月,他们四人被秘密发展为国民党员。至此,以“东京读书会”为核心,在日本燃起了抗日烽火。

1937年“七七事变”爆发,罗大愚秘密成立了“抗日大联合”组织,宗旨是不分民族、宗教、党派,凡拥护抗日爱国的中国人都可申请加入。以此作号召,参加的人很踊跃。先后有东京高师、早稻田大学等留学生五十五人参加。罗任该组织的总负责人。这期间,罗著述了《呼吁抗战宣言书》、《抗日工作大联合工作大纲》等,这些文件,对指导抗日斗争起到了重要作用。

1940年,罗按照朱的指示成立了辽、吉、黑三省,长、哈两市及驻日党务专员办事处,并委派了各地负责人。以“东北抗战机构”的名义作号召,吸收各界爱国人士参加,动员他们投身到抗日斗争的行列中去。

1941年12月30日及其后一段时间里，日伪当局在东北地区及日本等地，对各地下抗日组织进行了统一大逮捕，历史上称为“一二·三〇事件”。在此次事件中，东北三省两市及驻日党务专员办事处全部遭敌破坏，各省市主要领导人和大批党员惨遭逮捕，罗乘机脱逃，幸免于难。

由于“一二·三〇事件”大批干部被捕入狱，为补充领导骨干之不足，在敌人严酷统治的恶劣环境下，自1942年5月至1945年4月间，在沈阳、长春等地开办两期干部训练班，罗担任宣讲人，受训者四十多人，他们均充任各级党务专员的重要职务。

1944年4月，朱家骅以“双轨制”形式派遣东北的另一个“三省党部”系统遭敌破坏，主要领导人石坚、李光忱等全部被捕。罗受株连，再次脱逃。日伪警特机关，成立专门搜捕班子，以十万重金悬赏缉拿。罗为躲避追捕，由沈阳潜来长春，继续领导抗日工作。特别是自1944年7月，美机轰炸鞍山后，日本战败已成定局，人心大快。自此活动由秘密转向半公开阶段。这期间，罗曾著《组织大纲》、《抗战建国时期东北党务工作大纲》等文件，指导各地抗日活动。

1945年5月23日罗被捕，在伪新京监狱分监(长春市西四道街)受尽了酷刑折磨。在狱中曾写《五·二三蒙难纪念歌》，歌词慷慨悲壮，感人肺腑。1945年8月13日，罗随同一批政治犯从长春监狱转押吉林途中，被人解救，始得恢复自由。

“八一五”光复后,罗在长春市成立东北党务专员联合办事处公开活动。同年10月被苏军查封解散,罗离长去沈。罗曾任辽宁省党部书记长、辽宁省政府秘书长、辽北省(四平)党部主任委员、国大代表、立法委员,1948年春去南京,后转赴台湾,于1973年5月10日病故。

重庆沧白堂争取民主开放大会

赵希献

在抗战期间,蒋统区的各民主党派为了接受国民党的统一领导,团结抗日,均自动解散了。然而,没有料到后来国民党内部竟发生了分裂,汪精卫出走投降了日寇,国民党政治也日益腐败。在这种局势下,人民呼吁开放党禁,实行民主之声越来越高涨。于是,在各界人士的积极倡导下,于1946年1月在重庆沧白堂召开了民主开放大会。

我应章伯钧函约及李铁民(留苏地下党员,解放后为上海复旦大学教务长,“文革”中被迫害致死)面邀赴会。

参加会议的有数百人,可与我相识者甚少。我与董必武、孟宪章等三人坐在右排的第三行,靠主席台前一行就坐的是冯玉祥、覃振、孔庚三老，第二行为蓢伯赞、沈钧儒、黄炎培三位，中排多为女士们，其中有史良、胡子婴、谭惕吾等。会议推选张澜为主席。

大会宣布开会后，就进行个人发言。首先到主席台上发言的是冯玉祥。他说："汪精卫要出走，我已有察觉。对此，我曾面告蒋介石，然而蒋不信。事后思之，觉蒋、汪之间的关系大有可疑。……"冯老话毕，孔庚、沈钧儒、章伯钧三老相继发言。他们的发言大致是要求开放党禁，实行民主的内容。章老讲话余音未落，有一女士站起，谓各民主党派要及时恢复，以匡时政。并谓章伯钧与邓演达曾领导过第三党，现在仍应由章组织恢复，继续领导其工作。这位女士正讲到此，忽然见一些人簇拥着一位头戴斗笠、工人模样的青年人手捧申诉书哭着向主席台前走过来，只见这青年到主席台前就跪下不断地叩头。董老离座趋前，接看申诉书。书中写到：国民党在前线不抗日，在后方却到处拉壮丁。我逃出来，请求各界人士出自人道主义加以援救。董老看罢诉书，愤不可言。主席当即宣布会后分头酝酿这位青年提出的问题，商量对策。同时宣布散会。

会后，几经磋商，在重庆成立了以张澜为首、以沈钧儒、章伯钧、罗隆基为核心的中国人民民主同盟(简称民盟)，及以曾琦为首、以李璜、余家菊、左舜生、陈启天为核心的青年党(该党后来去台)。

在这两党中，章伯钧为我武大及留德的先

后同学，李璜、余家菊是我武大的老师。晤时相邀，我都敬谢不敏。

蒋介石迁回南京后，许多党派都出现了。章伯钧的农工民主党在上海成立了。以张君劢为首、以蒋匀田为核心的社会民主党也在上海恢复了(该党后来去台)。

张作霖和于文斗结为亲家

张璇如

张作霖祖居河北，后落户海城，年青时曾当过“胡子”头。1902 年，他毛遂自荐，被盛京将军增祺收编。1903 年 8 月，当上了游击马队营管带。因诱杀杜立三有功，备受辽宁督军徐世昌的青睐。

于文斗是吉林省双辽县人。20 世纪初，昌图厅管辖的辽源州，州治设在郑家屯（今双辽县城）。当时的郑家屯，水陆交通方便，屯内商铺林立，是东蒙最大的贸易市场。郑家屯西街有一所院落幽深、宽敞、恬静的大院，是丰聚长粮栈，粮栈主人就是于文斗。他待人热诚,仗义疏财,是远近小有名气的富绅。

1906年,前郭尔罗斯爆发了陶克陶胡领导的抗垦斗争,波及东蒙地区。当时蒙古封建主为了巩固自己的统治和增加收入,不仅把可耕的牧场全部开放,而且把已耕的土地也全部开放,一律出售。这就激起了当地蒙汉人民的强烈不满和反抗。揭竿而起的抗垦队伍,一举捣毁了设在二龙索口的垦务局,杀死在毛道吐绘制地图并进行特务活动的全部日本人和清兵。这一行动,大大震动了清廷和王府。徐世昌先后令洮南府巡捕队和吴俊升所部巡防营围剿,均未奏效。1908年,又特派张作霖率部往剿。这年4月,张作霖部进驻郑家屯,看中了丰聚长粮栈大院,将剿"匪"司令部设在该粮栈院内。从此结识了于文斗。

在广阔的松辽平原和漠北荒原上,张作霖所部与陶克陶胡和白音大赉领导的抗垦队伍展开了血战。6月,张部企图奇袭内蒙的龙王庙,遭到抗垦队伍的重兵围困。在这危急关头,于文斗亲自出面说服吴俊升,率骑兵相助,张作霖才突围而出。张作霖部重整旗鼓,与黑龙江官兵联合夹击抗垦队伍,终于在第二年春天,击毙了白音大赉,把陶克陶胡逐出内蒙,把坚持四年之久的抗垦斗争镇压下去。

张作霖得胜归来,又驻扎郑家屯。张于重逢,结拜为磕头弟兄。有一次张作霖在于文斗的客厅里,偶然见到于家大小姐于凤至,印象很好。隔一日，张作霖再来于家时，正碰上于文斗请了一位算命先生为子女们占卜。张作霖从放置在桌上的卦帖中，挑出于凤至的一张，向于文斗说："我手下有个包瞎子，此人阴阳八卦、麻衣神相无所不通。可否让我带回去，找包瞎子核对一下？"张作霖回到沈阳，包瞎子认定于凤至为"凤命"。张作霖大喜，认为"将门虎子"张学良与"凤命千金"于凤至是天造的一对，地设的一双，遂决定与于家结为秦晋之好。张作霖委托丰聚长的掌柜张否天作伐，定了这桩亲事。次年，张学良和于凤至完婚。时于凤至年十七岁，张学良才十五岁。

少年于凤至

窦应泰

少帅夫人于凤至，字翔舟，1897年6月7日出生在吉林省怀德县大泉眼村(今公主岭市南崴子乡)。

其父于文斗，祖籍山东省海阳县司马庄。光绪初年，山东水、旱、蝗三害迭生，务农出身的于文斗在穷困潦倒之际，举家下关东。一家人飘泊流离，历尽艰辛，来到商贾云集的水旱码头郑家屯落脚。于文斗靠一架破挎车起家，日积月累，惨淡经营，才办起一家小小的当铺，亦即丰聚长之前身——丰聚当。到光绪末年，于文斗在丰聚当的基础上创办了日售万担、月盈斗金的大粮号丰聚长，成为古镇商界的“首富”。

于凤至自幼天资聪颖，温柔端丽。由于家教严明，从小就养成了善良仁慈的个性。在她七岁时，其父于文斗聘请前清举人董天恩为家庭教师。她九岁时，非但能读《论语》，而且还能读唐诗、宋词。她机敏聪慧，过目成诵。她的人品与出众的才智，很快就成为古镇上男女同辈中的佼佼者。

在于凤至十三岁那年的元宵之夜，县衙门前挂满了谜语灯虎。镇上许多有学识的人都赶来猜。惟有一联谜语，难住众人，却出人意料地被于凤至猜中，一时镇上哗然。道尹贺至璋对于凤至过人的才学尤为垂青。嗣后，贺道尹还亲自给丰聚长送一块“僻壤奇伶”的红底缀金横匾，以褒彰于凤至的过人才智。

“我是来当会计的”

陶德魁

少帅张学良，曾兼任北京私立民国大学校长。校址在北京西城宣武门里北侧太平湖畔的旧醇亲王府。这是一座古老的建筑，校庭有假山、人造河，风景美丽。当年清朝皇帝光绪就降

生在这个院子里。他出生的第三天,用新打的井水冲洗身体。井口的大理石上,还记载着这件事。

北京私立民国大学,当时经费发生问题,有停办的可能。校长周震麟和学生会研究,为免于青年学生失学,屡请驻北京的东北军三、四方面军军团长少帅张学良兼任校长。张慷然应允,在1926年夏天的一天,学校筹备隆重,迎接新校长来校,并邀请了各界来宾和记者。全校二千多名学员夹道欢迎,下午三点多钟张学良来校。当时北京驻军司令部下令,从西长安街、石驸马大街一直到民国大学,清洁的道路洒上了水,军队在路两旁设岗直到校门。

前任校长周震麟,引少帅张学良到来宾室就坐,休息片刻,到大礼堂,顿时掌声如雷。周校长介绍,张校长是驻北京三、四方面军的军团长,来校兼任校长,这是私立民国大学的一件喜事。顷刻,全场又响起了长时间的掌声。

张学良将军在欢迎的气氛中走上讲台说:"我是方才介绍的张学良。每个同学的学问都比我高,因此,我当不了大家的校长。那么我来做什么呢?我是来当会计的!拿钱办学校,聘请著名教授,培养人才。同学们目睹北京市东交民巷,各国有驻兵权,再看看中国军阀割据,疯狂争夺地盘,闹得民不聊生,百姓怨声载道,人民四处逃难,他们有说不尽的痛苦和悲伤。"

"同学们要努力读书救中国,首先学好中国历史,知道中国的过去,割地赔款,受帝国主义欺压蹂躏，希望同学们专心致志，研究各学科要识，唤起中华民族，热爱中国，为人民造福，坚决把帝国主义从中国赶出去。”

自此以后，张将军经常来校。他很重视体育运动，经常和同学们打网球，他说：“健全之精神，寓于健全之身体。”

张学良的“抗日同志会”

燕庚奇①

1936年8月间，张学良在其公馆内秘密成立一个组织，名为“抗日同志会”，会长由张学良自兼。

大会成立时，我正在北京，奉张命同周鲸文接办东北大学，所以未能参加。不久，张又把我调回西安，住在金家巷公馆的东楼上(这个楼上，没有张的命令，任何人不准上去)。过了几天，张批准让我入会。就在我住的房间，我和当时任东北军团长的万毅，二人一起举行入会宣誓，仪式由卢广绩主持。誓词大意为：誓随张学良会长，坚决抗日，打回东北去，收复失地。宣誓后，就在一个签名簿上签上自己的名字。这时我看到了这个组织的惟一秘密文件——签名簿。簿上第

① 燕庚奇当时为张学良的机要秘书。

一个签名的是张学良,其余共有二十多人,其中大部分是青年军官。张学良成立这个组织的目的,一是以这个组织为骨干来改造东北军,即准备提拔一批思想积极、年轻有为的军官代替那些年老昏庸的军官,用以改造东北军的整个素质;二是以此组织发挥政治威力,作为团结国内进步力量的桥梁,如联系中共及其他进步民主党派。最后,在这个签名簿上签名的人,一共有八十多人。至于外面对这个组织,虽有些风闻,尤其那些军统局的人们,不知费了多少心机,到处寻根查底,但始终一无所获。这个签名簿,始终握在我手里。到 1937 年春,我带到陕北红军总部,同应德田一起,把它烧了,这个组织也就从此寿终正寝了。

吉林"虎"、"豹"两督军

常　城

民国初年,吉林有位孟恩远,字曙村,天津人。在吉林任官多年,先当师长,后升护军使、镇安左将军,督理吉林军务;1926 年改称吉林督军,是民国后吉林的第一位督军。在东北军界,他比张作霖资格老,张作霖称他"孟大哥"。此人在吉林无显著政绩,喜书法,善写"虎"字,常以"虎"字赠人,人称"虎督军"。

1916年至1919年，张作霖统一东北，称霸奉天后，又取黑龙江，后夺吉林。孟督军不服，一再反抗张作霖。后来，张作霖抓住了孟恩远参加“张勋复辟”的把柄，说他“复辟有罪”，又唆使吉林议员，告他贪污“八大状”；但孟督军仍不屈服。1919年夏，张作霖出兵包围吉林省境，一时间，吉长一带两军相持，大有一触即发之势。日本军队乘机助张，在长春制造“宽城子事件”，压迫吉军退出长春。孟恩远见大势已去，用长途电话致张，表示交出吉林政权。当孟督军辞官赴京，路过奉天时，张作霖为收买人心，特设宴为“孟大哥”压惊。

孟恩远下台后，张作霖立请北京政府调来他的亲家鲍贵卿担任吉林督军。鲍贵卿，海城人，曾任北京讲武堂堂长，与张作霖是同乡，两家结成儿女亲家。鲍贵卿到吉后，人们称他“豹督军”。“前门走虎，后门进豹”，一时传遍吉林。

张作相的养生之道

王　悌　齐　夫

“素食、练功、勤洗澡。”这是六丨年前张作相在吉林时的养生之道。持之以恒，可以达到健身和长寿的目的。其道理浅显易懂。

“素食”，易消化、易吸收，可防止肥胖症，也能防止高血压。人们常说:“十个僧道九个瘦。”“瘦”,脂肪少,能减少对心脏的压力,有益于健康。

“练功”,张作相根据“佛教”的“坐禅”功和“道教”的“两功”法,把两者融为一体,自命为:“健身功法”。

“勤洗澡”,张作相来吉林后,由于常和僧道接触,学到道家的“一日三沐浴”的“沐浴”之说,每日“第一池”(即今之北京路浴池)一开门,他第一个进入池内洗澡,然后去喝新鲜豆浆,这是他的一顿素食早餐。

张作相每天去“第一池”洗澡的事,在当时的《盛京时报》上曾以《第一池澡中第一人》为题,做过报道。张作相还建议在省城内多开设几家浴池。不久,吉林商务联合会在原来“第一池”、“度云池”(在河南街西段)两家浴池的基础上,又在德胜门里修建了一家名叫“德胜泉”的浴池,在东关日本商埠地内(今市百货大楼)附近修建一家最大的浴池“东海泉”,不仅设有男浴池,还有女盆塘和男盆塘,在临江门外修建一所名叫“临江泉”的中型浴池。当时吉林方圆还不到三十二平方公里,竟有五所大、中型浴池,居东北同等城市首位。

杨靖宇将军的生活和风采

黄生发 口述 孙践 整理

1937年7月我给杨靖宇总司令当警卫员，与杨靖宇将军朝夕相处两年余，对他的衣着打扮、音容笑貌、生活习惯至今仍记忆犹新。

靖宇将军善于学习。我的印象最深的是，他有一本《论持久战》，油印本，经常阅读。靖宇将军很爱读报，身边总有些从敌人那里搞到的报纸，行军时带着，宿营时坐下就看。他不仅自己学习，还组织战士们学文化，用桦树皮当纸练字，或是在雪地上用树枝写，到了夏天就在地上画，让没有文化的战士，学会眼面前的字。

杨司令不但会指挥作战，还能作诗写文章。杨司令曾编个剧本叫《王小二放牛》，演出后很受教育。我记得，当时还用红纸、绿纸印成歌片，上面有一路军军歌，就是杨司令写的。怕被淋湿，用桦树皮包着揣在兜里，唱时拿出来就用。我是歌咏队的，那时走到哪里就唱到哪里。

杨司令从不骂人，急了时就说："岂有此理。"说这句话时，口气不同于往常，分量就重了。那时同志间没有吵嘴的事，经常开班务会，每次都讲团结友爱，讲群众纪律，不拿群众一针一线，绝对不准搜俘虏腰包。杨司令亲自对俘虏们宣传党的政策，缴枪不杀，不没收个人财物，经教育后释放。好多俘虏听了靖宇将军的讲话，痛哭流涕。

杨司令对同志对下级平易近人，态度和蔼。有一次，司务长见靖宇将军身体不好，烙了两张饼给他吃。杨司令叫来司务长，问："就为我一个人烙饼吗？"司务长说明了情由。杨司令执意不肯吃，命令司务长拿给伤病员吃。伤病员听说是给司令保养身体打的饼，谁也不肯吃。往返几次，最后，还是杨司令亲自动员伤病员吃了。缴获了敌人吃的东西时，他就把大家找来一起吃。长岗战斗时，参谋长杨俊衡为夺山头，被日本人的手榴弹炸死，杨靖宇将军当时脸一沉，从我手里要过匣枪就往上冲，他对同志和战友的感情有多么深啊！

廉洁奉公一尘不染的常恩多将军

张树德

1930年5月，我在东北讲武堂第九期毕业，被派到东北军五旅七十一团任少尉排长，团长是常恩多。

1930年10月，张学良将军率东北军陆空精锐部队三十万进关，我在团部当文牍副官兼管庶务。我团经两次改编，最后改为五十七军一百十一师，常恩多由团长晋升为一百十一师中将师长，直辖四个团两个旅，官兵约一万二千多人。我被调到师部任上尉副官管理庶务，追随常将军长达十三载。他生活简朴，终年剃着光头，身着布衣，脚穿布鞋，不修边幅，素菜淡饭，常以豆腐为主要副食，饮白开水，从不喝茶。他严于律己，廉洁奉公。在旧军队中剩余的公杂费是各级军官办公费的结余，余者归己是理所当然的，而他从不乱用剩余的公杂费。当时团长的办公费，每月一百五十元，常将军在任团长时，每月只用办公费的一半，结余部分存起来，到年终春节期间拿出来犒赏部下官兵。常将军当师长后，每月办公费增至三百元，结余部分照样存起来，到年终由军需处以他名义慰劳伤病残官兵。在当时的部队中，当官儿的吃空饷成风，而常将军从未吃一名空额。团军需处每月向上报表，三个月的空额款就有千余元(每人每月按四元零八分计算)。他命令军需处如数上缴。他的高尚品德还表现在不嫖、不赌、不抽大烟、不娶小老婆，尽管妻子是一个比自己大五岁的农家妇女，可他从不纵欲丧志，从不沉溺浊流，这种蔑视糜烂生活的高风亮节在当时东北军的师团长中是屈指可数、难能可贵的。他始终保持一个堂堂正正的军人本色，表现出"威武不能屈，富贵不能淫"的英雄气概。1939年，中共山东分局批准吸收他为中共特别党员。

马德恩为官清廉

鲁 仁

马德恩,字纶阁,满族,双阳县人。生于光绪二年(1876),卒于1958年。吉林省著名爱国人士。

他在不少地方任过官职,如在黑龙江呼兰县征收局当过局长,在浙江任长兴县知事,在江苏海门县任统捐局长,在山东省长公署担任咨议;在北洋军阀政府时的京都市政公所任坐办。回家乡后,在吉林省做过吉林永衡官银钱号总办、吉林省实业厅长、吉林省政府委员兼农矿厅长等等。不管在哪里做官,他都以清廉自守。民国时,穆棱煤矿是个盈利大户,他兼该矿理事,按规定月薪三四百元,他认为拿厅长月资足矣,所以分文不取。他把原籍祖传田产,捐给当地学校。他个人没有房产,在银钱号没有存款,一家租房居住,粗茶淡饭,有钱买书,不积家产。他认为给子女积蓄家产,会养成他们好吃懒做,依赖家庭,不求上进,实际害了他们。他要求子女一要多读书,二要靠劳动吃饭,三不要贪小便宜和欺侮别人。他为官几十年,素以"五不"自勉,即不贪财、不枉法、不抽烟酗酒、不嫖娼、不纳妾。他说:"为官一场,造福一方。退一步说,不能造

福，也不能变成被万人唾骂的刮地皮的蟊贼。”

“九一八”日本侵占沈阳后，熙洽准备叛国投敌，开门揖盗。在熙洽成立伪政府，自任吉林省伪长官消息传出后，他无限愤慨。熙洽派人劝说他出山，他严词拒绝。日本宪兵队把他逮捕，面对敌人高压他不屈服。由于缺乏证据，敌人不得不把他释放出狱。此后，马德恩潜心佛事，深居简出，闭门谢客整整十四年，直到“八一五”祖国光复。解放后他曾被邀为吉林省政协委员，选为常委。

周恩来与王朴山的友谊

王晓苏

周恩来总理在留日期间，曾录梁启超先生的一首七言律诗，书赠王朴山。诗写在一张竖长方形白色宣纸上，盖了两方朱红色篆文印章：一为直径九毫米的“翔宇”圆印；一为一厘米见方“周恩来印”。全诗是：“献身甘作万矢的，著论求为百世师。誓起民权移旧俗，更研哲理牖新知。十年以后当思我，举国犹狂欲语谁？世界无穷愿无尽，海天寥廓立多时。”

这件珍贵的手迹，现藏中国革命博物馆。

我父王朴山，吉林省榆树县人，1913 年至 1917 年，和周总理在南开中学同学。共同的理想和志趣使他们成为挚友。1917年9月,他们先后东渡日本留学, 同住在东京神田区的一幢日本木屋,朝夕相处,情谊甚厚。父亲和王希天等几位好友,一面在大学学习,一面为保护旅日中国劳工的利益奔波劳碌, 并积极参加留日中国同志会发起的救国运动。这些活动,都受到周总理的赞许和支持。

周总理于1919年春从日本先行回国,以后去欧洲求学。这首诗,很可能是周总理与我父亲临别时书赠的。此后两人虽然天各一方,但一直书信往来,互相切磋,携手共进。父亲在周总理的关怀和鼓励下,写下了"好乘华年图猛进,中原日日待醒狮"等诗句以自勉。我父最后一次从日本回国,是在1923年前后,回国后先做了一个时期的教育工作,以后在东北屯垦公署任职。1930年病故,终年三十四岁。周总理的这篇珍贵手迹, 是我母亲杜栗棠冒着生命危险保存下来的。

我从小就盼望能见到父亲的好友翔宇伯伯(后来才知道他就是周恩来总理),认为能见到这位好伯伯是我最大的幸福。怎么也没有料到,在父亲逝世三十二年以后,1962年6月17日 (星期日), 周总理在长春南湖宾馆接见我和我的妹妹晓蕴及王希天烈士的儿子王振圻。总理逐一询问我们工作、学习和生活等方面的情况,再三嘱咐我们好好学习,努力做好本职工作。

流寓吉林的林纾后裔

张秀材

林纾(1852—1924),字琴南,号畏庐,别署冷红生、蠡叟。这位19世纪末到20世纪初我国颇有影响的文学家,虽不谙外文,却翻译了大量的世界文学名著,在国内现在似乎被人们淡忘了,可是,日本、美国、苏联、法国、澳大利亚、捷克等国的汉学家仍在对林纾进行研究,并成立了林纾学会。

林纾的后裔,我认识其长子林珪和其孙林大成,他们是二十年代流寓于吉林市的。

林珪,字伯桓,生于1875年,卒于1947年。记得是在1929年,我在名士马超群先生家中见过他,谈笑风生,得知他曾受张学良之聘,在东北的阿城、双城、珠河等地当过县长,后来见东北形势不稳,内忧外患,民不聊生,乃弃官移居于吉林市,以卖画为生。他擅画翎毛花卉,属没骨派。

1929年见他时,我才十六岁,只知道他是林琴南先生的后人,其他不详。当我二十一岁时,任教于吉林毓文中学,学生中有名林大成者,便是林琴南先生之孙。人世沧桑,五十余年来各自西东,消息两茫然。1991年11月3日,林大成忽自吉林市寄来长信一封，言其辗转得到我尚视息人间的确信，方寄信于我。他已过古稀之年，妻子已故去，与女儿女婿住在一起，仍笔耕不辍。

1987年，他曾与北京作家冀侠合作，出版了长篇小说《有这样一群姑娘》。写的是抗日联军中的一支活跃在长白山密林中的女战士的斗争事迹。

近几年，他除了写作、函授外，还与国内研究林纾的学者，如东北师大教授蒋锡金、人民日报社记者朱碧森等均有联系；国外如日本、美国等国的汉学家，进行了沟通或接触。最近正积极筹划成立全国林纾学会。

关于他父亲林珪，在他寄给我的信中，介绍了一些鲜为人知的事迹。

林珪三十四岁那一年(1908年)，出任河北大城县知事，林纾的示儿书中，诫其小心、忠厚、谨慎、慈祥，他严守父训，不二年，报纸即因其廉政爱民，政绩卓著，赞其为“林青天”。林纾闻之，喜绘山水四幅以示奖励。

林珪也在阳原、宝坻等县任过知事。

东北沦陷时期，林珪携眷隐居吉林市，常为己悲，为亡国忧，为一代人忧。他想以宗教救国，后竟皈依佛法，以居士终。吉林观音古刹的主持如莲法师即其师兄。

林珪生前的画及画稿，文革期间均散佚，据其子林大成来信告我：他手中仅存的一幅绢画《百鸟图》，是林珪生前的得意之作，可惜林大成的老伴生前不懂书画的保存方法，嫌画绢陈旧，竟然用水擦洗，以致色泽淡褪，殊为可惜！

林珪与其父林纾之名，已列入《中国现代美术史》中。

张治中将军二事

沈培庶

一

张将军有一亲属与我同学。在一次闲谈中，说起张的家史。他儿时十分清贫，父亲在一地主家扛大活，他衣食无着，便只得跟随父亲到地主家混饭吃。稍长以后，该地主请塾师教家中小姐学习，看到张治中很伶俐，便让他在塾中伴读。谁知两小无猜，青梅竹马，逐渐情投意合，便订为婚姻。嗣后张治中上学费用，都由岳家供给。张将军发迹以后，一贯对夫人很好，知恩重义。夫妇十分和睦，相敬如宾。

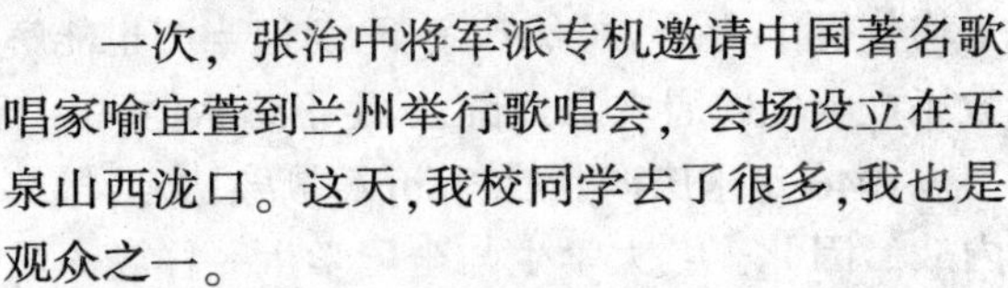

一次，张治中将军派专机邀请中国著名歌唱家喻宜萱到兰州举行歌唱会，会场设立在五泉山西泷口。这天，我校同学去了很多，我也是观众之一。

开会后，张治中将军偕夫人及喻宜萱女士，同乘一轿车来到会场，张将军先将其夫人洪某

(小脚老太太)搀扶下车,直扶到主席台上,搬了一张椅子让夫人坐好,并请喻女士就座后,才开始走向主席台讲话:“我们兰州,地处西北,文化生活很差,我今天特请著名歌唱家喻女士,前来西北举行歌唱会。她的歌唱,全国著名。她是美国留学生,在美国声望也很高。今天听众几万人,没有座,也没有音乐伴奏,希望大家肃静一点,不要错过这一大好机会。大家欢迎。”

会后,大家认为张治中将军不愧是位贤良丈夫,文化娱乐不私自或供少数官员享受,而是想着夫人,与民同乐,一时传为佳话。

二

张治中将军关怀流亡学生,正确处理学潮。他是兰州市皖江同乡会名誉理事长。那时,我被兰州大学皖江学生选为理事。在一次同乡理事会上,我代表皖江流亡学生提出:“现在兰大皖江流亡学生,生活很艰苦,请求市同乡会给予支援补助。”适逢张将军在座,他略略地点点头,并与理事长祖雪亭(兼西北行辕秘书长)私语几句。不久,便批拨了一批救济款,全部是银元,每人平均分得十几元。虽然数字不大,但当时也能解救流亡学生燃眉之急,流亡学生很感激他。

1946年重庆谈判后,蒋介石撕毁协定,挑起内战。因此,兰大学生与全国学生一样卷入学潮。这次学潮连夜集会、罢课,并打死兰州大学青年党书记兼系主任。情况严重,学校不得不报请行辕处理。次日上午九点，身为西北行辕主任的张治中将军携带副官一人，乘吉普来到会场。他自我介绍后说：我一贯主张和平、民主。我过去错误地认为学潮不会在我辖区发生，但发生了，原来这里也不是真空，但学潮发生在我的辖区内，就应该由我来负责。接着，他宣布几条纪律：一是我的讲话不许任何人记笔记；二是不许记者入会场，有记者来请自动退场；三是不许照相；四是不许向外流传。之后他讲了《三娘教子》的故事及对帝国主义不能乞求的道理，赢得学生们一阵阵掌声。

最后表示：对这次学潮，一不追究，二不搜捕。我说话是算数的。不过，战后国家要想恢复，就要靠科学技术，须要大量人才，才能富国强兵。所以诚恳地希望大家明天赶快复课。兰州大学是西北地区培养人才的重要学府。希望大家不要辜负国家和人民的希望。关于打死了人，由于发生在兰州大学，就责成你们学校，将他埋掉，否则，烂了、臭了，也会影响学校卫生。

兰州大学的学潮就这样不了了之。他这样处理学潮，得到了人们的称赞。

冯玉祥与人力车夫

李 君

民国时期，人力车是城市内的主要交通工具，许多穷人都以此谋生。干这行非常苦，车夫们风里来雨里去，拼命沿街兜座，也填不饱肚子。

一个严冬的黄昏，在繁华的开封南门外停着一辆人力车，车夫六十岁开外，骨瘦如柴。这时，总算来了一个胖顾客，坐在车上压得破车吱呀乱响。当车子行至一个上坡时，车夫使用全身力气，也没能使车子前进一步。这情景被河南督军冯玉祥看在眼里，便上前助他一臂之力。车夫突然觉得车子一轻，扭头看见一个高大的人正帮他推车呢，便感激地向他点头致谢，可不小心被石头绊了一下，跌倒在地，胖顾客差点从车上滚下来。他暴跳如雷，不分青红皂白，举起文明棍就向车夫打去。冯玉祥手疾眼快，一把夺下文明棍，打抱起不平。开始，胖顾客仗着自己是财政局的，对这个打抱不平的人不屑一顾，当他知道这个人就是冯将军时，立刻赔礼道歉，硬把车夫按在车上，吃力地把他拉到医院……

冯玉祥有感于车夫之辛苦，回到督军署即下了一道命令：政府公务人员一律不准坐人力车。可谁知，这道命令下达后，连老百姓也吓得很少有人敢坐车了，由于没生意可做，车夫们饿得前心贴后心，恨起冯玉祥来。

一天，冯玉祥外出归来，一下火车，便打发走秘书和卫兵，换上粗布便服，朝出站口走去。刚出大门，就被一群车夫围住，争着向他兜售生意，他都谢绝了，可一位上了年纪的车夫却无论如何也不肯离去，他诉苦道："自从冯玉祥下了道命令，不让政府官员坐洋车后，我们的买卖就少多了。偶尔有几个坐车的也都让年轻的拉跑了。这不，天都快黑了，我还没开张呢，挣不到钱，连锅都甭揭了。"听了这话，冯玉祥恍然大悟。他想：我不让政府官员坐车，是为减轻车夫的痛苦，没想到却砸了他们的饭碗！他当时想给车夫一点钱，钱都让秘书带回去了。他想了一下，就让车夫把他送到兵营。到了兵营，车夫见卫兵都给这人敬礼，一打听才知他就是冯玉祥，便掉头想跑。一个军官匆匆从营房出来，追上车夫，交给他二十块大洋。车夫双手托钱，热泪盈眶。

从此以后，冯玉祥又做出新规定，允许政府官员坐人力车，但必须多付一点钱。

抗敌史迹

敢于与帝国主义抗衡的长春道台

杨寄春

自1898年沙俄借助不平等的《中俄密约》、《中俄合办东省铁路公司合同章程》和《东省铁路公司续定合同》等，占据了长春二道沟，建起了宽城子站区(俗称老毛子站区)。

其后，于1904—1905年，又爆发了日俄两国旨在争夺中国东北殖民利益的肮脏战争，以沙俄败北而告终。日本帝国主义占据了长春市头道沟，建造了“满铁长春附属地”，且有大举南侵之势。昔日繁华的长春旧城由于帝国主义的侵略，日渐衰败。

1909年，血气方刚、年轻有为的长春道台颜世清，决心从旧城区北门至“满铁长春附属地”之间开辟总占地为一万三千五百垧的商埠区，发展工商业，设立商埠局，与帝国主义抗衡，颁行了《开埠局章程》。与吉林省开埠局合雇英国工程师邓芝伟，规划、设计并组织施工，首先在临近“长春满铁附属地”日本桥通(今长春胜利大街)的高地上，建起了青色砖瓦水泥结构，规模达二万五千平方米西式建筑风格的道台衙门。其建筑工艺细腻讲究，宏伟壮观，中国国旗高高飘扬，恰有居高临下威震“满铁长春附属地”之势，是长春当时最为壮丽的建筑组群。至此，扼制了日本的殖民势力的向南扩张。

商埠区一直是长春市的商业中心街区，促进了长春地区经济的发展。

北山守墓人

王健群

齐鲁之地，地少人多，加之水患连年，民生日艰，于是携妻将子来闯关东，其中经商从政渐成巨富者不乏其人，而冻馁不能自存者亦大有人在。光绪间，吉林市曾有山东会馆之设立，多以商业巨子主持，以同乡之谊，相互提携。

会馆曾募捐于北山之阳买地数顷，称山东义地，为山东人不能归葬者埋骨之所，又建祭祀堂一所，瓦舍数楹，为临时厝棺者所租用，俗称寄骨寺。其东厢一间为守墓人居舍。守墓人多以孤老之同乡任之。

民国十五年(1926)，一老者诣会馆，自称登州府人，朱姓。老者衣冠不整而精神矍铄，欲求一洒扫守夜之职。执事者云："只有义地守墓缺人，他处实难从命。"本欲以此开脱，使之离去，不意老者欣然接受。

义地远离村舍，四顾凄凉，除寒食、丧葬日外，无人至此。

是时，日寇节节进逼，山雨欲来，国是日非，吉林第一中学二三进步学子常隐匿义地墙间，议救国之事。一日，突然发现荒草尽除，墓土新添，以为异事，绕至寄骨寺前，见圮垣已经修整，门前清扫一过，寺门两侧增一楹联曰：

闻昔时父老常言，人近不如土近；

看此日少长咸集，他乡即是故乡。

对仗工整，情意贴切，心奇之。时守墓人去市区买粮盐，寺门虚掩，遂潜入之。于祭祀堂前又见一联，曰：

长辞故国；

永绝家书。

守墓人居室内挂一竖轴，画王粲登楼，两侧条幅为：

列强沸沸国默默；

空山寂寂鬼啾啾。

室内高桌上有一册《变法记》,叙大彼得改革与明治维新事,旁置笔墨纸张诸事。俄守墓人归,责其擅入;学生则以楹联条幅事相讯,老者曰:"我斗大字不识一石,何能为此,乃同乡人所书,至于笔墨书籍,乃其遗忘置此。"问及同乡系何人,又不知谁何。

此事渐传开去, 于是游北山之文人多至寄骨寺造访。不数日,游人再去,则居室一空,守墓人不知所之,中堂条幅已不复在,惟于墙隅处得一纸团,展视之,乃一诗,墨犹未干。诗曰:

仰天长啸叹辽东,默默愁云遍太空;

鸭绿江桥工竣后,江山半壁有无中。

时日本正兴建安东鸭绿江桥, 为侵华之备也。

满族爱国志士诚允

王　瑛

诚允,字执中,满洲正白旗人,姓瓜尔佳氏。1882年生于辽宁省辽阳县,1906年毕业于北京法政学堂。曾历任吉林省高等审判厅长、高等法院院长、代理省长等职。

1931年9月19日长春沦陷的当天,熙洽即派心腹带其亲笔信去长春会见日军第二师团长

多门二郎中将。与此同时，为了防止广大官兵“闹事”,他下令“着驻省各部队一律开出城外数里待命”。接着,又于9月21日召开省政府委员扩大会议。会上讲话说,他已邀请多门师团长来吉林谈判,并且已向多门表示“日兵来时,绝不抵抗”。诚允在会上郑重表示:“无论如何,不能让日军到吉林来，更不能向日军保证他们来时不会遇到抵抗。”他说,如果要声明,那就要告诉他们,我们能够保护日本侨民的安全,不必日军亲自来保护。日军若侵入吉林,必然要受到人民的反抗。“倘先告之以不抵抗,恐日军原无来吉林之议,亦将乘虚而入,岂非引狼入室。”熙洽早已拿定卖国主意,对诚允的话根本听不进去。诚允十分气愤,当即愤然退出会场。

日本侵略军在熙洽等人的策划下，这天下午侵入吉林省城，并立即将城内仅有的少数警察武装全部缴械,进驻了省城重要部门,将官银号的现金二百五十万元和军械厂库存的万支步枪全部掠走,还掠走大批粮食。9月24日,熙洽在日军导演下宣布成立所谓的吉林省长官公署,并由他任伪省公署长官。

诚允当天即秘密离开省城,途经锦州时,决定下车向张作相汇报吉林的情况。张作相对诚允的爱国热情和抗日主张十分赞扬，并恳请他代理省政府主席一职，速回哈尔滨重建吉林省政府。诚允深知这一使命困难重重,但从大局出发,乃毅然北上。经过五昼夜的艰苦跋涉,到达了哈尔滨。虽经多方面联络,工作毫无进展。诚允不得已，征得张学良同意，遂将省政府设在宾县，并于11月12日正式就职。

省政府的重建产生了很大影响，在不到一个月的时间里，全省四十一县就有二十九个脱离了伪政权的控制，可是面临的形势却十分困难和险恶。许多官员观望犹豫，有人托病不出，有人拒绝调动，日伪更视之为眼中钉，组织了伪吉林省剿匪司令部，启用被张作相革职的反动军阀于深澄为司令，拼凑五个旅的“剿匪军”，开始向宾县发动进攻。但是，在抗日部队冯占海和李杜等部队的坚决抵抗下，“剿匪军”连连受挫。日军又调动主力部队进剿，1932年2月5日日军进入哈尔滨。抗日部队退入方正、延寿一带，宾县已危在旦夕，诚允不得已方退至巴彦县境内，仍继续为各抗日力量联合尽力。5月下旬，他化装入关，面见张学良、张作相报告东北的抗日情况，并力主派兵收复失地。

诚允在宾县期间，日夜操劳，有时骑马出城巡视各要隘，有时召集民众发表演说，鼓励大家齐心抗日。他看到有的商民外迁，就把自己家属接到宾县同住，以示与大家同生死、共患难。他的爱国事迹感人至深，不愧为满族的爱国志士。

1940年，国民党政府派他护送班禅九世返回西藏，行至康定班禅圆寂。诚允也因此一直滞留康定。在那里他出于爱国之心，为祖国培养人才，创办了一所工艺专科学校，直至1944年8月他不幸病故。

马技师为抗日救国捐躯

王喜信 口述 王树仁 整理

1932年唐聚五誓师抗日时，马技师出于抗日救国之心，凭着他与妻子的专长，在辽宁民众自卫军总司令部下设的修机所里，承担了维修和自制枪炮的任务，为自卫军英勇杀敌贡献了才智和力量。自卫军失利遣散后，他四处奔波，一心想找到杨靖宇部队，继续为抗日救国尽力。1934年夏，在他人的帮助下，于柳河县凉水河子的一个红军密营里找到了杨靖宇部队。马技师急忙来到杨靖宇面前，二话未说便跪倒在地，连磕三个响头，要求把他留下，组建修机所。杨司令自然高兴应诺。于是，便在凉水河子乡回头沟的东榆树川沟里，建起了一处修机所。马技师夫妻带着年幼的儿子和两个朝鲜族徒弟，在这荒无人烟的深山密林中，为抗日部队修理枪支、制作零件和小型土炮。夫妻俩各包教一个徒弟。密林中的生活是十分艰苦的，粮食靠秘密给养员冒着生命危险，绕过日伪军在回头沟设的炮台，穿沟越谷送来，因种种原因吃不到粮食的情况也时有发生，于是便以山菜、野果充饥。有时想改善一下生活，便由两个徒弟到山下哈泥河的河岔里用铁扦子扎几条鱼回来用水煮着吃。

1935 年深秋时节，日寇开始用飞机侦察我河里后方基地,并进行高空拍照。就这样,发现了马技师修机所的大体方位。一天,邵本良带领两个连的伪军同二十余名日本兵向东榆树川沟方向而来。林中倒木交错,更无人行专路,日伪军一时苦于迷路,欲暂回营房再做良策。可是,连绵的秋雨使哈泥河水上涨,无奈又折回密林。就在返回途中,忽然发现一个地窖子。地窖子里住着一个五十多岁的单身汉，姓那，众称“那炮”。日军头目打开飞机拍照的地图,认定修机所就在此附近,便威逼“那炮”带路。“那炮”虽然不是抗联的秘密给养员，但也确实知道马技师的修机所。在敌人刺刀面前,“那炮”真的为其带了路。对日伪军突如其来的包围,马技师毫无发觉。当马技师的一个徒弟从屋里出来上厕所发现敌情时,敌人的机枪已封锁了房门。马技师不顾个人安危,冲出房门,双手使枪,射击敌人。其他三人也同时向敌人射击。此时,敌人一枚炮弹将房屋轰倒，接着四周的子弹纷纷向修机所射击。小房变成了一团烈火,马技师夫妻、儿子和两个徒弟均壮烈殉国。回头沟的群众为纪念马技师,便把东榆树川沟称做兵工厂沟。人们虽然说不出他的真正名字,但“马技师”一直铭刻在群众心里。

抗联二军的迷魂阵

霍燎原

迷魂阵位于吉林省安图县新合乡境内和平林场西五公里的山上。这里山势峥嵘，沟岔纵横，森林茂密。初入此地之人，往往容易迷失方向，故被人们称作“迷魂阵”。

1935年夏天，中共东满特委直接领导下的东北人民革命军第二军第一团，曾派人在迷魂阵建造密营。当年10月，第一团的主力转驻于此。这个密营建有土木结构的马架子房多间，占地面积约一百平方米。马架子房北面二十余米处是个小山头，建有十平方米的哨所，哨所与马架子房之间由二米宽的交通沟相连接。一团的团部及兵工厂、服装厂、医院、粮食仓库都设在这里。由于这个密营十分隐蔽，不到达附近二三十米之内很难发现，而密营内的人员通过哨所却可观察到二三百米外的情况。因此，这所密营实际上成为第一团用以休整部队，补充给养，坚持战斗的据点。一团常常以此地方为依托，在敦化、安图边境一带开展抗日游击战斗，打击敌人。

为了消灭这里的抗日武装，日伪曾多次派员进行“讨伐”，但始终未能捞到便宜，不是陷于

密林深处而蒙头转向，就是遭到抗日部队的伏击而损兵折将。当地群众曾编了一首名曰“迷魂阵”的歌谣来颂扬抗日武装的功绩。其内容为：

鬼子讨伐队，开进老山林。

抗联向后退，鬼子向前进。

越进林越密，越进林越深。

哪知抗联好战略，要把鬼子引进“迷魂阵”。

四面八方枪声起，到处都是埋伏兵。

山深林密转了向，蛤蟆进灶蒙了门。

想要出山逃活命，里外三层围得紧。

围了十天和十夜，鬼子粮弹全用尽。

抗联没费吹灰力，瓮里伸手把鳖擒。

鬼子终于中了计，“迷魂阵”里迷了魂。

1936 年 3 月，二军军长王德泰、政委魏拯民、政治部主任李学忠等率领部分队伍来到迷魂阵，于 3 月 23—24 日，在这里召开领导干部会议，根据《东北抗日联军统一军队建制宣言》的要求，将东北人民革命军第二军改编为东北抗日联军第二军，军长王德泰，政委魏拯民，政治部主任李学忠，参谋长刘汉兴。下辖三个师，全部兵力为二千余人。此后，王德泰、魏拯民等率军南下，这里则为新编的抗联二军一师的活动范围。

迷魂阵密营一直保持很久，敌人始终未能发现。今天该地仍存有马架子房的残壁。

抗日军队的“那尔轰会师”

霍燎原

1935年8月，根据东北人民革命军第二军军长王德泰等领导同志的决定，由二军政治部主任李学忠率领二团一百五十余人，组成西征队，从安图出发，经抚松向蒙江县挺进，寻找一军军部。这支西征队历尽艰辛，于9月初到达蒙江县江南抗日游击根据地那尔轰一带，与东北人民革命军第一军第二师第八团一部胜利会师。

二军二团西征队到达南满后，受到一军和游击根据地人民的热情欢迎。9月3日，蒙江县那尔轰举行军民联欢大会，到会二千余人。会上，李学忠等先后讲话，热烈祝贺两军胜利会师。会后，游击根据地民众“自动送面杀牛，预备大餐”，热情款待一、二军指战员。9月17日，那尔轰同心乡政府和民众制作两面锦旗，一面上书“欢迎西征”，赠予二军西征队；另一面上书“敬祝胜利”，赠予一军军部。9月18日，东北反日南满总会还发表通电，热烈欢迎二军西征队。

10月4日，在那尔轰老龙岗西坡黑瞎子望于家沟农民于会君家场院里，再次召开了一、二军会晤式和军民联欢大会。会场布置得相当隆重,前面扎有松树门,悬挂着用各色纸做成的彩旗,松树门下是用两格板包罗起来搭成的台子,台子四角挂有四面鲜艳的红旗,随风飘荡。参加会议的有一军司令部直属教导团、一军二师八团、二军西征队与当地反日会及群众,计一千余人。一军军长杨靖宇、政治部主任宋铁岩、二师师长曹国安、二军政治部主任李学忠等出席了大会。会上,先由李学忠同志报告东满抗日形势和二军发展状况,接着杨靖宇同志讲话。他说,我们人民革命军向以抗日救国为天职,四年来与日寇血战,屡获胜利。今日得与东满二军会师,更为光荣。此后,东满、南满游击区将打成一片,一至六各军与其他抗日武装将共同组织东北抗日联军,以便集中力量,统一领导,更有力地打击日寇。随后,两军指战员在一起表演了文艺节目,一军战士演出了杨靖宇亲自编写的一段表演唱,二军西征队表演了苏联红军舞。此外还有口琴吹奏,朝鲜族舞蹈等节目。同时,两军战士还举行了军事比赛与演习,主要有打靶、抛刀、投弹等项。整个联欢会开得生动、活泼,参加会议的两军战士,鼓掌欢跃,异常兴奋。

在一、二军会师期间,两军领导干部还举行了联席会议,互相介绍了本军及其活动地区的抗日情况,交流了抗日斗争经验,并就今后两军联合作战,开辟以安图县城为中心的辽吉边区抗日游击根据地和建立全东北抗日政府与抗日联军等问题交换了意见,作出了决定。此外,两军指战员还订立了为期一年的竞赛条约,主要

条文是:(一)为把武器全部换成“三八”式步枪而斗争;(二)把两军完全变成能征善战的铁军;(三)互相提供经验。为纪念这次会师两军还交流了人员和互赠礼品。一军送给二军一名妇女干部,二军调给一军一名射击能手;一军赠给二军两支手枪,二军赠给一军一些手榴弹。

通过二军西征队与一军在那尔轰的会师,打通了二军与一军的联系,沟通了东满与南满游击区,扩大了统一战线,推动了抗日斗争的发展。此后,一、二军又于1936年7月,合编为东北抗日联军第一路军。

妙龄姊妹刀砍日本指导官

孙素勤 整理

1936年3月13日,《盛京时报》以“妙龄姊妹花挥刀袭砍警务指导官”为题,报道了一条“南满火车上骇人异变”的新闻:3月10日,由奉天开往齐齐哈尔的39次旅客列车,行至中固、开原站间,突然第四辆之三等车内,有妙龄姐妹二人,一年二十二岁、一年二十一岁,该二女突然由怀内掏出锋利之短刀,向其邻近乘客,现任昌图县公署警务指导官栗野重吉氏之头部、面部、颈部,猛烈袭砍。当时全体乘客大哗,随车之警务等即时赶到,车抵开原站后,将二女逮捕。

先关押于开原警察署，后又转押于公主岭警察署。

这二女一名文静一(朝阳镇人)、一名安荣卿(海龙镇人)，毕业于海龙师范后，一起被分配到朝阳镇第二女子两级小学校任教。她俩都有逐日寇、复东北的爱国思想。朝阳镇西门外有个狼狗圈，日本人经常将无辜的中国人抓去喂狼狗，她俩耳闻目睹，早已怀恨在心。1936 年一天早晨，发现学校操场上有两个日本兵端着上刺刀的大枪追捕三个口喊救命的中国人。两人欲到门外解救时，被校长劝阻，气得文静一顺手操起桌上茶杯摔在地上，气愤地说："欺人太甚。"她们认为再也不能忍受下去了，于是决定到外地找共产党。

她俩各备一把短刀，先乘火车南下，不料到了山海关因无出国(伪满洲国)证被阻，只好返身北上去哈尔滨。在乘坐的 39 次旅客列车上，看到日本警务指导官栗野无端地殴打一位年逾古稀的老太太，她俩忍无可忍，一起冲上前去，抽出短刀将栗野砍得头破血流，然后借机讲演："中国有句俗语，七十不打、八十不骂。这个日本人无端地殴打这位老人，真是欺人太甚！我们再不能当亡国奴了。"顿时，车厢里鸦雀无声。

二女被捕后在监狱受尽严刑拷打，1936 年 6 月在公主岭被杀害。我党在公主岭的地下组织，带领群众将二女的遗体安葬。

天地有正气

鞠路滨

1937年3月27日,王凤阁率领的辽宁民众自卫军抗日健儿于辑安、临江、通化三县交界之老虎山一四三四高地与日军作战，不幸兵败被俘,落入敌手。当时奉天出版的伪《盛京时报》专电的大字标题称王凤阁为“反满抗日巨匪”。该专电说:“事变六个年头以来，曾拥有部下二千余众驰骋于东边道地带之反满抗日巨匪王凤阁,现年四十二岁,近来曾经日满讨伐队等迭次剿讨,奈该匪竟一再执拗,于最近在辑安、临江、通化县境之老虎顶子山岳地带，曾构筑数百之山寨与我死力对抗,在我沉痛打击下,致而其势力终难挽回,遂于3月27日在通化县下三区一四三四高地，经第一教导队山口步兵中尉指挥中之第一机枪连,卒将该悍匪及妻、子等完全捕获云。”

在日伪档案中还查到了伪满第二军管区少将萧玉琛奉命亲赴“通化行辕司令部”督办“王凤阁要案”卷宗，发现王凤阁四岁幼子小金子“我不吃满洲饭!”“我是中国人!”的绝食记载。白纸黑字,清清楚楚。据说当时风闻全城,妇孺皆知,闻者无不潸然泪下。

四十六年后，我和王凤阁将军女儿王淑培，在当年一四三四高地下的小南岔敬老院，访问了虎口余生曾给王将军做饭的陈广太老人。他回忆说：1937年农历三月五日，王凤阁司令慷慨赴刑场。就义前他高喊："父老们，我王凤阁为抗日而死，是大丈夫好男儿应有的收场。中国不会亡，打倒日本帝国主义！拯救我中华！"他和妻子张氏及四岁幼子视死如归，血沃中华。今天，在将军当年就义的通化市玉皇山柳条沟，筑起丰碑。我为王凤阁将军撰写了碑文，以启迪后人，永志不忘。

杨凤翔抗俄记

王 悌

杨凤翔又名锡凤，清朝汉军镶黄旗人。祖籍云南，康熙年间迁来吉林。从此，世代定居在吉林府克勤社前五家子屯(今永吉县桦皮厂镇东胜村)。他出生于道光二十年(1840)十月三十日。曾历任乌拉协领、吉林协领、吉林鸟枪营统辖参领等职。

光绪二十年(1894)，中日甲午战争爆发，凤翔到奉天负责后勤供应工作。由于他指挥有方，"给食不乏"，保证了军粮供应，因此立下战功，朝廷"特旨赏给头品顶戴"。1897年，凤翔被提升为珲春副都统。

1900年7月6日，沙皇尼古拉二世宣布自任侵华俄军总司令，从欧洲和阿穆尔军区先后调集军队，分六路大举入侵中国东北地区。爱珲是其北路入侵的主要目标。7月8日沙俄借口"护路"，向黑龙江将军寿山提出，让集结在海兰泡的数千名俄军途经爱珲、卜奎(齐齐哈尔)开赴哈尔滨。寿山当即严词驳回，并命凤翔严加戒备："如俄兵过境，宜迎头痛击，勿令下驶。"凤翔便命在北起五道霍洛，南至富拉尔屯的沿江一带，修战壕挖沟堑达七十五公里，并在各险关要隘架设炮台，准备抗击侵略者。

不久，俄使又来面见凤翔，要求"借路"。凤翔断然拒绝其无理要求，并派出军队在三道沟拦截下驶的俄军。一次，俄轮满载军火从伯力开往海兰泡，途经爱珲时，故意靠近我岸航行，进行挑衅。爱珲城头守军放炮强迫其靠岸停泊，并上船检查。不一会，乘坐在"色楞格号"上的沙俄界务官率五名俄兵下船，"登我岸防区窥视，阻我检查俄船"，旋即上船，命令船上俄兵向守军开枪开炮。岸上守军当即予以还击，打伤该界务官，击毙俄兵二十余名，打伤十余名，俄船狼狈而逃。

恼羞成怒的沙俄侵略者，于7月15日至7月20日，制造了震惊中外的"海兰泡惨案"和"江东六十四屯惨案"。7月17日早晨，俄军越过结雅河进犯江东六十四屯，他们见人就杀，见房就烧，把来不及渡江的二十八屯同胞各"聚一大屋中,焚毙无算”。迫使我“江东六十四屯”同胞,不得不背井离乡,扶老携幼,纷纷向爱珲城逃来。逃难的居民后有俄兵追杀,前有江水阻隔,情况万分危急。凤翔得知这一情况,立即派军队过江,击退俄军,并出动水师和商船,“昼夜接渡”,使三千多居民脱险过江。

面对数倍于我的凶悍之敌,广大军民在凤翔的指挥下,扼守要隘,修筑工事,挑挖战壕,不到三天,就从八里桥到大岭间布置了纵深四公里的伏击圈。凤翔布置清军“伏于岭下的两旁山侧,诱敌深入岭底,以炮击为定”。8 月 10 日上午,一万多装备精良的俄军骑兵在前,步兵在后,直奔岭上。俄军刚进入埋伏圈,在南面埋伏的清军误以为时机已到,连发数枪,俄军知有埋伏,停队向前攻击。凤翔见此情况,立即下令出击,兵士们从四面出击,与俄军展开了激烈的战斗。俄军东奔西突,企图凭借人数众多,武器优越而冲出包围圈。凤翔在岭上亲自督阵。他身先士卒,冲入敌阵,先后砍杀了十几个敌人。他的右臂、左足两处受伤,三次跌下马来,但他都以惊人的毅力重新跃上马背,鏖战不休。“自辰时至酉时亲自放枪四百余响”,“虽力竭不少休”,最后终因年迈体弱,伤势过重,跌下战马,士兵把他扶入营帐后,“呕血数升而死”,卒年六十一岁。

忆朝阳大学南京请愿

吴曦宇

1931年我正在北平朝阳大学政治系就读，闻日寇在我东北制造“九一八”事件，出兵沈阳，蒋介石不准东北军抵抗，终使东北大好河山迅速沦陷于日寇之手。东北籍同学震惊之余，痛念家乡罹难，三千万同胞惨遭亡国命运，忧心如焚，彻夜难眠。

我校二千余名同学义愤填膺，于12月全体罢课，组织赴南京请愿团，团长是法律系李海峰同学。为了维持秩序和纪律，全校同学推举八名身高体壮的同学为请愿团纠察队员，我是队员之一，记得其中还有东北老乡、沈阳人杨鼎新。

12月9日晨，我们先到北平车站交涉免费乘车，良久始准登车，沿途受到各地爱国同胞热情提供饮食。车行至浦口，我们又转乘轮船抵下关，再乘火车于12月12日晨始到达南京。下车伊始整顿队伍，高擎“北平朝阳大学赴南京请愿团”横额旗帜，开始游行，一路高呼“打倒日本帝国主义！”“反对不抵抗主义！”“欢迎蒋委员长北上御侮！”等口号，向民众宣传抗日救国。队伍行至午后，到达国民政府院内，张治中将军出面接待。同学们要求他向蒋介石转达我校同学请愿的目的，且强烈要求面见蒋介石。张治中将军答复："明日在黄埔军校礼堂，蒋委员长亲自接见。"是夜我们被安顿在黄埔军校宿舍过夜。

翌日上午，蒋介石在黄埔军校礼堂接见了我校全体同学。他冠冕堂皇地说："日寇侵略东北，这是国家大事，由我来解决。你们学生应该马上回去好好读书。你们来请愿，是爱国行动，欢迎我北上御侮，也是爱国行动，我答应你们的要求。"

我们在黄埔军校共住旬日，蒋介石多次接见我们，每次都是好言相劝，但宗旨是让我们尽快回去复课，深怕我们在南京闹事。被安顿在黄埔军校，实际等于被禁锢在那里，无法与外界联系，也无法向群众进行宣传活动。蒋介石只用骗人的假话、空话敷衍学生，僵持数日，请愿毫无结果，同学们只好悻悻返回北平。这次请愿虽无结果，但它对于唤起民众奋起抗日，起到了先锋号角作用。

帮助中国人民抗战的日本友人

燕庚奇

1938年春，冲破种种障碍来到中国的日本友人鹿地亘和他的夫人池田幸子，还有青山和夫，由上海来到武汉，政治部第三厅派人负责招待他们,我是其中的一个。鹿地等人全是日本文坛的左翼进步作家,素来反对法西斯蒂,反对日本政府的帝国主义政策。此次来华,目的是要和中国人民一道反对日本的对华侵略战争。

他们来武汉不久,立即投身于抗战工作中。鹿地还深入前线,把用日文写成的传单和标语,散发给在前线的日本士兵,告诉他们,此次日本的侵华战争就是按照“欲占中国,须先占满洲;欲占世界,须先占中国”的田中奏章行事的,这不但使整个中国遭受涂炭,也使日本人民陷入水深火热之中,其结果一定失败,要日本士兵不要为这些祸国殃民的家伙卖命。鹿地还不断回到后方,为各抗战团体讲演,激励抗战意志。青山则日夜收听日本的广播,将日本国内的实际情况报告给中国领导,作为抗战的参考资料。池田由于怀孕关系,只能留在后方,做一些力所能及的工作,如替鹿地整理材料,抄写文件,和鹿地一起研究如何开展工作等,另外还经常出去为各团体讲演。以后,她和三厅的一部分工作人员,移往衡山。这时衡山突遭日机袭击,死伤甚重,曾有一架日机被击落,机上二人,一死一伤。池田奉命(由我陪同)去医院看望这个伤兵。池田告诉他:这是距前线还有几千公里的大后方,日本飞机还要跑到这里来轰炸,未免太残忍了!池田是带领孩子剧团去的,她令孩子剧团唱一些抗战歌曲,她译成日语,并告诉他,这个孩子剧团全是他们的父母被日机炸死,无家可归,不能生活的一些孩子而被政府收容起来,组成这个

剧团的。他们日夜哭泣，想念他们的父母，你看多可怜啊!这个伤员听了，脸色变得非常难看，似有一种内疚样子。以后不知他被送到哪里去了。

日本无条件投降后，鹿地等日本友人也回国了。可是，鹿地一回国就被日美警察绑架，监禁起来，后被释放，不久死去。池田呢，亦于 1972 年离开了人世。但他们留给中国人民的印象是永远不会磨灭的!

溥仪出任伪满执政

王庆祥

1932 年 3 月 9 日，伪满执政溥仪就任仪式在长春原道尹衙门内的一间大厅里举行。

乐声中走在前头的是赞礼官、招待员等服务人员，接着，有“参列者”资格的人士顺序入场：“东北行政委员会”的委员，各省区的文武官员和“民众”代表等。关东军司令官本庄繁、参谋长三宅光治和参谋板垣征四郎，还有满铁总裁内田康哉等几个日本人是仅有的“外宾”，他们实际是“主人”，是拥有绝对权威的伪满傀儡戏的导演者。

溥仪入场的格局是这样的：正前方有一名赞礼官导引，穿西装、戴礼帽的溥仪走在中央，他的右侧为四名武侍从，而左侧为四名文侍从。

溥仪就位后，全场人员向他行三鞠躬大礼，他以一鞠躬答礼。礼毕，“东北行政委员会”的两名代表恭恭敬敬地来到“执政”面前，溥仪一看，原来是臧式毅和张景惠。他们每人手捧一个黄绫包，一包为国玺，一包为执政印。献上这两件东西表明已将统治满洲的全权交付溥仪，而他接过的不过是替日本殖民主义者画“可”的傀儡之权。

继尔，臧式毅代表“满洲民众”向溥仪致颂词，溥仪则命郑孝胥代表自己致答词并宣读《执政宣言》。当“除去种族之见国际之争”的滥调从话筒后面传开时，“外宾”内田康哉立即满面笑容地走上前去，鞠躬，握手，随后也来了一篇“祝词”。最后溥仪让罗振玉代读答词。至此礼成。

当乐声再起的时候，溥仪按预定计划着西装大礼服与全场人员合摄纪念相。但他觉得不够味儿，这能算是大清复辟么？于是，正式的纪念摄影结束之后，他又命追随而来的王公皇族遗老遗少，一律换穿长袍短褂，又合摄一张非正式纪念相。所以是“非正式”的，因为日本不承认。

照相后，溥仪在酒会上接受了一片“万岁”的狂呼，并在这故意制造的高潮中走出大厅，命人把伪满旗帜升上旗杆。随着又起的乐声溥仪退场，强加于历史和我国东北地区的“大同年代”开始了。

第一次“裁可”

李国雄[①]口述　杨照远 整理

爱新觉罗·溥仪于新京就任“执政”庆典宴会结束时，已是深夜十点左右，溥仪在众贴身随侍的簇拥下，回到“执政”办公室，尚未坐定，郑孝胥被引了进来。他手捧一叠文件，笑容可掬地躬身凑到案前，轻声道：“皇上，这是特任状暨各部总长名单，请上御览裁可。”

对这个事前未经钦定，关东军即令郑拿来裁可、发布的名单，溥仪感到十分不快，只“嗯”了一声。

郑说：“皇上，关东军方面已正式授意臣为国务总理，负责组阁。”

“嗯——”溥仪有些不耐烦。

“臣有责任将各部总长名单呈上，请皇上裁可，尔后签任命状。此外……”

“此外个什么，有话直说！”溥仪打断了郑的讲话。

“此外，此外，这里还有向各国发出的承认‘大满洲国’的通告……”

“啊——”溥仪再次截断了郑的话。

① 李国雄当时为溥仪贴身随侍兼卫军二中队中校队长。

郑见溥仪只是没好气的嗯、啊，却无裁可的表示，又说道："这可是本庄繁司令官的意思呀!"

溥仪于是无可奈何地令随侍严桐江递过笔墨，在各公文上画了几个大大的"可"字。然后，没好声地嚷道："朕该休息了，有天大的事也明天办！"

溥仪祭天时断了帽带

李国雄 口述　杨照远 整理

1932 年 3 月，清逊帝溥仪在长春粉墨登场，充当了日本帝国主义所炮制的傀儡政权伪满洲国的"执政"以后，经过两年的活动，好不容易得到日本当局和军部的认可，批准在伪满洲国实行帝制，改"执政"称"皇帝"，更年号"大同"为"康德"。并应允以日、满合璧的形式，于 1934 年 3 月 1 日举行"第三次登极"典礼仪式。

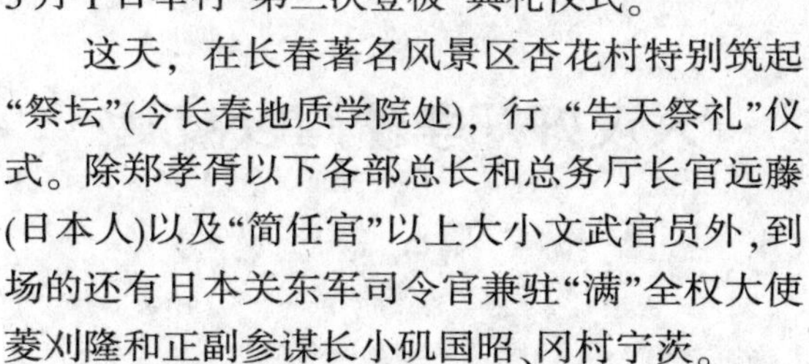

这天，在长春著名风景区杏花村特别筑起"祭坛"(今长春地质学院处)，行"告天祭礼"仪式。除郑孝胥以下各部总长和总务厅长官远藤(日本人)以及"简任官"以上大小文武官员外，到场的还有日本关东军司令官兼驻"满"全权大使菱刈隆和正副参谋长小矶国昭、冈村宁茨。

平素惯于迟眠晏起的溥仪，天刚微明即起，由随侍们伺候穿上黄贡缎绣云十二章之金龙立

水袍，外罩天青色金龙褂，头戴镶宝珠顶冠，之后进行了“斋戒”和默祷。其后在二十二辆阵容浩大的“卤簿仪仗”队的簇拥下，驾临祭场。上午八时三十分，繁琐的仪式开始，“盥洗”、“升坛”、“就位”、“燔柴迎神”、“献爵三”、“复位”、“受玺”毕，正待引火“送燎”之时，忽然刮起一阵狂风，直奔坡高四十米的坛顶而来，溥仪所戴的珠顶冠险些被吹落，他急忙用手挽护，不料用力过猛，将帽带揪断，顿时着了慌，面色立变苍白，以为大不祥。颤声向躬于身后的宝熙问道：“此为吉兆，抑凶兆？”略懂卦书且善猜梦的前清内务府大臣宝熙急凑前俯耳答曰：“陛下帽带脱绊，正系上天示吾人以解脱羁绊之征兆也。”

溥仪将信将疑。归宫后，关起门来，独自在“缉熙楼”寝宫内循诸葛神课，多次摇钱卜来算去，觉得宝熙圆的颇具道理，可是在其后的傀儡生涯中随着生活和政治上的失意，每遇不快，总与“揪断帽带”联系起来，尤其是小朝廷行将垮台的时候，表现得更为突出。

大汉奸郑孝胥何以被贬？

常　城

郑孝胥是铁杆保皇派，伪满头号大汉奸。在“九一八”事变前就投靠清逊帝溥仪。

“九一八”事变爆发后，全国悲愤，但郑孝胥却喜出望外，极力推动溥仪投靠日本复辟。在日本操纵下，溥仪终于到了东北，当了傀儡“执政”和儿皇帝，郑孝胥则当上了伪满的第一任国务总理。在傀儡政权建立中，郑孝胥尽全力为日伪效忠，和日本签订出卖全东北的《日满议定书》；起草伪满《建国宣言》；大讲“王道乐土”、“顺天安民”、“亲仁善邻”等鬼话，成了日本的头号宠儿。

但主奴间的矛盾，是难以避免的。1932 年 5 月，“国联调查团”来东北。调查时曾问伪满总务厅长官驹井德三，怎样对待“满洲门户开放”和“机会均等”的问题。驹井假意应付说：“门户开放、机会均等是满洲立国的铁则。”对驹井之假意回答，郑孝胥听之暗喜，误以为他原来设想“国际共管”的机会到了，马上对溥仪说：“这些西洋人(指国联调查团)所谈的都是机会均等和外国权益之事，完全不出臣之所料，事情很有希望。”意即如能“国际共管”，他和溥仪等即有回旋之地。对此，日本人看在眼里，开始对郑怀疑、不满。后来，郑孝胥在他主办的“王道书院”讲演，发牢骚说：“满洲国已经不是小孩了，应该让他自己走走，不该总是不放手。”这几句话又得罪了日本人。

1935 年 5 月 21 日，日本关东军司令官会见溥仪时，向溥仪提出：郑孝胥“倦勤思退”，应该让他回家养老。溥仪不能不表同意，郑孝胥随之下台。“卸磨杀驴”之后的郑孝胥，“无可奈何花

落去”，只好住在长春柳条胡同，冷冷清清，以写字消磨岁月。1938年3月6日，在“王道书院”讲演时，突患肠病，28日死于长春，结束了他的汉奸生涯。

“协和会”不协和

涂 晔

长春市斯大林大街七十六号，现在是军人俱乐部和省军区第二招待所，日伪时期曾是协和会中央本部。

“协和”一词出自《书尧典》：“百姓昭明，协和万邦”，意为亲睦协调。

“协和会”建于1932年7月，伪满傀儡皇帝溥仪任名誉总裁，关东军司令官本庄繁任名誉顾问，伪满国务院总理郑孝胥任会长。1934年后，“协和会”改组，除会长由伪满国务院总理兼任外，其他头目由伪满政府的日本官吏兼任，并在各地陆续建立协和会分会，对十六岁至十九岁的中国青年进行奴化教育训练，强迫青少年修筑铁路、开垦农田、进矿挖煤等，还输送青年上前线，充当日本侵略军的炮灰。

“协和会”中央本部设有总务部、指导部、实践部、训练部、文化部、青少年部、调查部等十多个部门。

伪满总理张景惠三事

常　城

张景惠，字叙五，奉天(辽宁)台安人，青年时代做过豆腐，当过保镖，干过“绿林”勾当；是张作霖的把兄弟，奉系军阀的骨干分子。“九一八”事变后投敌附逆，1935年当上了伪满的国务总理。因为他对日本百依百顺，一身软骨，又做过豆腐，人们称他“豆腐总理”。伪满时，他的丑闻、趣事颇多，只谈下列三则。

做汉奸有诀窍：惟命是从

据他的日本秘书松本说：他每周除了出席例行的伪国务院会议、伪参议府会议和接受日本关东军司令的一次询访之外，即静坐念佛，或招“高僧”问法。对日本的一切决议、方案，从不参言，盖章了事。只有一次在伪省长的会议上，他发火了。太平洋战争爆发后，日本在东北大肆搜刮，搞“粮谷出荷”(搜粮)和“铜铁献纳”，东北人民难以为生；因而在会上有人谈到：物资缺乏，百姓吃粮困难。张景惠听后一反常态，突然站起来说：“肚子饿，勒紧裤带嘛！现在日本盟邦不是正在赌国运而死战吗？”松木益雄在其《张景惠总理》中说：“我和总理共事十余年，还第一次听到他斥责人的声音。”

拉吴佩孚附逆，事成画饼

1938年夏，日本侵略者为组织华北伪政权，很想拉北洋系名人吴佩孚出山，特派张景惠出马劝降。张惟命是从，特派其心腹毕维恒(此人与吴有深交)和秘书处松本益雄，到北京吴公馆劝驾。但不巧，正赶上吴佩孚拔牙，患病。吴为保持晚节，拒不降日。张之劝降，终成画饼。

在狱里骂蒋介石，说蒋“不义”

日本投降后，张景惠为保持官位，很想联蒋。他主动出来组织东北地方临时治安维持会，还想“维持”，等待蒋介石来“接收”。但美梦刚做，即被苏联红军拘捕。苏军驻长司令官以开会为名，把伪满大臣及其他要人一网打尽，带到苏联在伯力的高级俘虏营，1950年遣返中国抚顺战犯管理所。据同押犯于镜涛说，在监禁期间，张景惠总骂“蒋介石不义，说话不算数”(指的是蒋介石说派代表关照张景惠，但未派来)。

第三代恭亲王承爵记

毓　嶦口述　杨照远整理

1937年7月，第二代恭亲王爱新觉罗·溥伟在“新京”(长春)越香村旅社病逝。伪满洲国傀儡皇帝爱新觉罗·溥仪念其曾祖父奕䜣系道光皇帝的第六子，晚清时期的军机大臣之一，在主持总理各国事务衙门、参与“祺祥政变”(又称热河政变)、镇压太平天国革命及“洋务运动”中举办军事工业，为清室立下过汗马功劳；另据文宗显皇帝 (咸丰帝)“准其世世子孙亦得承制封拜”、“世袭罔替”的遗诏，拟将第三代恭亲王的爵位赐予由溥儒教养的“勤奋好学，寄情于翰墨，又学得一手好书法”的毓嶦(溥伟的第二子)，以便使其成为复辟大清基业的栋梁之材。

8月2日中午，刚满十七岁的毓嶦和部分宗室子弟应召入伪皇宫 “无逸斋”(溥仪寝宫的书房)，面南而跪。溥仪训道：“毓嶦，恭亲王溥伟已故去月余，依大清祖制，王公薨逝，其所藏之御赐物品，由后代缴进，待承袭者决定后，仍发其继续保存。今决定由你承袭和硕恭亲王爵位，望效法前恭亲王德功并举，不负先帝遗训，念念不忘为恢复大清基业尽力。”

在下恭听的毓嶦匍匐叩头高声说：“奴才永

世不忘皇帝教诲！”

溥仪示意前清内务府大臣宝熙上前，将高宗纯皇帝(乾隆帝)御赐之一柄金桃皮鞘“白虹”腰刀(据说为斩史可法之刀)递过，毓嶦跪接后，再次连叩了三个响头，口称：“谢上赐刀之恩！”

承爵仪式草草完毕，且记录在案。从这天起，毓嶦正式承袭了第三代恭亲王的爵位。这即是前清宣统逊位后，所举行的惟一一次承爵仪式，因过于简单，宗室子弟们根本没把它当一回事，所以事后他们玩笑般地称毓嶦为“秃王爷”。

溥仪为我俩新婚摄影留念

杨景竹

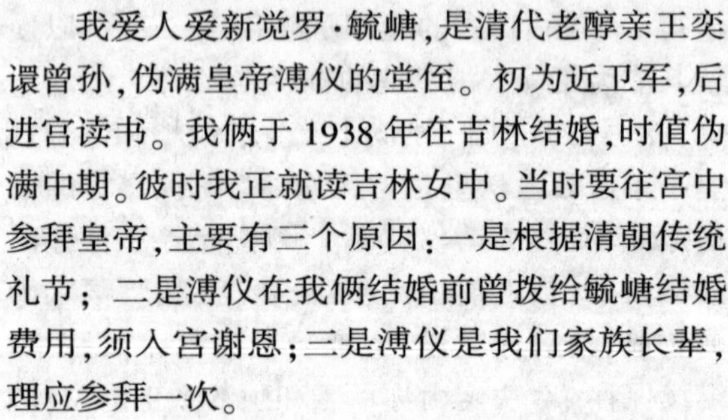

我爱人爱新觉罗·毓嵣，是清代老醇亲王奕譞曾孙，伪满皇帝溥仪的堂侄。初为近卫军，后进宫读书。我俩于1938年在吉林结婚，时值伪满中期。彼时我正就读吉林女中。当时要往宫中参拜皇帝，主要有三个原因：一是根据清朝传统礼节；二是溥仪在我俩结婚前曾拨给毓嵣结婚费用，须入宫谢恩；三是溥仪是我们家族长辈，理应参拜一次。

当时，我俩乘汽车驶往宫内府，进入“兴运门”。这是一红漆大门，皆用铜钉加固，门前岗哨森严。当我俩进入缉熙楼，见到溥仪后，毓嵣和我行了三跪九叩的六肃礼。溥仪身着灰色服装，态度和蔼大方，十分亲切地问我："在什么学校读书？毕业没有？"我一一作答，但心里有点紧张，毓嵣便帮我解答："在女子中学，已毕业。"溥仪随即命令随侍拿来赐品。承赏龙凤呈祥白银座钟一具，日制银质文具盒一只，日本皇室银酒具一套(都装在玻璃盒内)，荷兰羽缎一匹。溥仪欣然地庆慰说："你们今天能够结合在一起，也是一种缘份啊！"我和毓嵣忙跪在红地毯上叩头谢恩。

过了一会儿，溥仪转告我们："皇后有病就不用见了。见贵人时，蹲安即可。"然后，溥仪又携带照相机，让我们随他到西花园，与族人叔叔、各位兄弟聚晤，他亲自给我们摄影。溥仪将毓嵣的左手拿起，放在我的肩上，那时我感到害羞，溥仪笑嘻嘻地说："谁也不许动。"这便是溥仪为我们亲自摄影，并题名"前程似锦"，给我俩新婚留下的纪念。

汪精卫觐见溥仪

严桐江[1] 口述　杨照远 整理

1942年5月7日，伪南京国民政府主席、汉

① 严桐江当时为溥仪贴身随侍兼私房总管。

奸汪精卫继访日后,转道抵达“新京”(长春),对伪满洲帝国进行“睦邻友好”访问。按日本关东军司令部的安排,伪满洲帝国皇帝溥仪要在8日9时于伪皇宫“勤民殿”接见汪。

提起汪精卫,以往的怨仇便涌上溥仪的心头:宣统二年(1910)二月二十一日的黄昏时分,汪兆铭(汪精卫名)为了达到“一鸣惊人,名扬万世”的目的,与黄树中(后改名黄复生)、罗世勋合谋,拟在清监国摄政王载沣(光绪皇帝的族弟、溥仪的生父)上朝必经之路的北京什刹海银锭桥下,放置炸药,伺机将其刺杀。因巡警察觉,秘密跟踪,当场将黄、罗二人捕获。根据供词,很快又将主谋汪兆铭逮捕。

汪精卫等刺杀醇亲王的“壮举”,引起了清王室和遗老们的忿恨和恐慌,法部判处“汪、黄为死刑”,罗为“终身监禁”。但由于民政部尚书、镶红旗汉军都统、军咨大臣肃亲王善耆以“对革命党人,应采取怀柔政策”为由提出反对,判决未能如期执行;此间又逢张绍曾、蓝天蔚等发动了“滦州兵谏”,清廷被迫下了《罪己诏》,宣布解除党禁,特赦国事犯。汪、黄、罗三人意外地得到释放。一时间,“银锭桥案件”便成了国内世间纷传的“奇案趣闻”。尤其是汪的获释,众说纷纭,莫衷一是。国外的舆论界对此也异常瞩目,从不同角度猜测和评论,甚至说:“太后(指隆裕皇太后)爱上了这个美少年”,为他的英俊相貌所倾倒,“替他说情”,汪才“准予减刑”。此种说法流传甚广，以致使汪即刻成了名扬四海的“少年英雄”，并为其后他在政治上的发迹打开了门径。

故溥仪懂事之后，把汪拟刺生父，诋毁太后之举视为自身和皇族的最大耻辱，且从此结为宿敌。

而今，汪竟以“国民政府主席”的身份来访，遂令随侍做了特殊的布置，等待汪的到来。当汪精卫由礼官存耆引进二楼西觐见室时，溥仪端坐在兰花御座上，摆出一副“天子”的威严，竟无点滴“欢迎国宾”的表示。汪见“康德”皇帝如此冷漠，一不留神，被溥仪故意布置在地中央象征帝王威严的大白熊皮绊了一下，险些跌倒。溥仪见此状，在宝座上稍带几分讥讽的口吻寒暄道：“汪主席，朕久仰阁下的大名，欢迎，欢迎！”

汪闻溥仪话中带刺，立刻操着浓重的广东口音，微笑回敬说：“蒙陛下赐见，此乃有幸之至，今为‘大东亚共荣’‘圣战之大计’和防共而……”

站在一旁的伪帝室御用挂吉冈安直中将见气氛过于紧张，不待汪讲完，便把话接了过来：“汪主席讲得好。今天的，‘满’‘华’首脑会见，共同的，嗯！为‘圣战’，防共效力，效力的……，完成‘大东亚共荣圈’的使命。请坐下的，嗯，哈！”

吉冈的一番话，制止了两个傀儡、汉奸头面人物的唇枪舌剑，气氛却顿时沉闷下来。汪、溥的会见就是一直在相互对峙默默无语的窘态中进行和结束的。

献“御马”

张龙榜

我家住在农安县万金塔乡，我们屯子原来叫黄蒿屯，由于伪满时我家(户主叫张景芳)给溥仪献过“御马”，名声远扬，屯子就叫张景芳屯了。

那匹“御马”是我亲手饲养大的，又是我亲手牵着送到“新京”的。

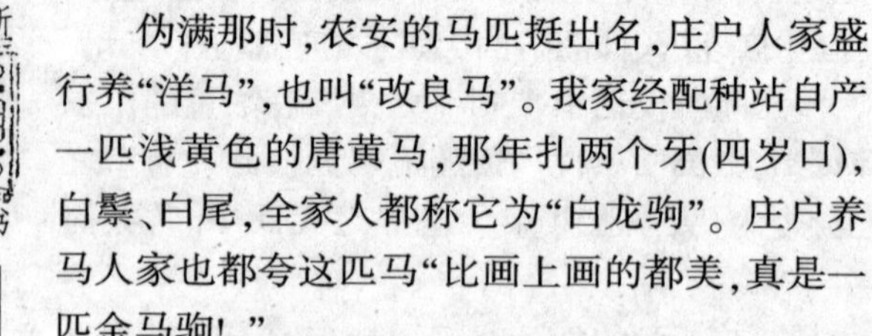

伪满那时，农安的马匹挺出名，庄户人家盛行养“洋马”，也叫“改良马”。我家经配种站自产一匹浅黄色的唐黄马，那年扎两个牙(四岁口)，白鬃、白尾，全家人都称它为“白龙驹”。庄户养马人家也都夸这匹马“比画上画的都美，真是一匹金马驹！”

农安火车道西有个模范饲养场，凡是买卖马匹，都到模范饲养场附属的马市进行交易。我记得是伪康德九年(1942)的春末，农安模范饲养场举行马匹展览和交易，我也牵着这匹马来到马市。不一会儿，人们把我牵的马围上了，全都不住嘴地夸：“毛色好，长相好，骨架好，精神出奇，没有缺彩。”这时，来了个日本人。这个日本人马前马后看了看，问：“谁的马，多少钱的卖？”我伸出四个指头比划一下说：“四千元。”日本人又问:“你什么名字的叫?什么的马,太贵的有。”我毫不在乎地回答:“我叫张龙榜，这马起名叫‘白龙驹’!”日本人看我很傲气便生气了,说:“什么,‘龙’,‘龙’,贵的大大的有!”说着就打了我一个嘴巴。我问:“为什么打人?”其他买卖马的人也随声齐说:“为啥打人?”这个日本人根本也没在乎,翻了翻眼珠子,就走开了。过了一会儿,又来了几个人,都穿协和服,还有穿大马靴带刺马针的,手里拎着提包,有的拿着本夹子,看样子都是“官相”。问了我的家庭住址,叫什么名字,仔仔细细地端详我的这匹马,往本夹子上一个劲地记,也没说买和不买就走了。

时隔一个多月,甲长藩永志登上门来,说:“县殖产股来电话,让把马送到模范农场去。”我把马送到农场。伪康德十年(1943)五六月间,甲长藩永志第二次到我家,说:“你家的马选上‘御马’了,叫养马主到‘新京’去‘献马’,说不定赏个一官半职!”我就到县里去了。县政府殖产股长日本人中西告诉我,“新京”马政局来人早就选定了,让我到模范农场去。

第二天上午八点多钟，在运动场召开了欢送“献御马”大会,机关、学校、团体以及许多市民都集齐了。我那匹马被打扮一新:马背披上黄色绸子带花的马衣,马肚子下系上带子,马脖子上围着一个大花环。装点后,马有点发毛,直劲打响鼻儿。一个日本和尚手中拿着杨柳枝儿,在马前马后比划，嘴里叨叨咕咕不知念的是什么

“经”。他这出戏演完了，县长李国昌和副县长渡边泰臣讲话，意思是给皇帝“献御马”，这是农安县的光荣和荣幸。会议完了就欢送“御马”，从运动场进入西街，奔向长春公路。大路两侧看热闹的人很多，轰动了整个农安县城。

往长春送马的有两伙人：一伙是副县长渡边泰臣、殖产股股长中西等人，是坐火车去的；另一伙有我、饲养场的马夫于文泉、谷振升，还有畜牧系主任王占生和四名护送警察，是坐着胶皮车去的，由我牵着马。到宋家洼子已快黑天了，便在宽城子种马场住一宿。

第二天，我们牵着这匹马送往宫内府。凡经过之地都有群众欢迎。到了皇宫院外，“御林军”站在两旁欢迎我们，前后都有日本人。到了皇宫我们这伙人被领到御马所。御马所也叫“御马苑”，就是给皇帝养马的地方。那里看马的人都戴着肩牌，帽子前沿上竖着独立缨，像竖起来的鸡毛掸子。我们把马交给御马所，就离开皇宫到宾宴楼吃了一顿饭，然后就坐火车回农安了。

经过一个月，长春马政局将卖马钱伪币一万元整汇到农安。这一万元为数不小，但也给我带来了不少麻烦，保、甲长、警察以及其他“官相”都来“挤额”，勒去不少钱。

庄士敦与“康德皇帝”

王庆祥

庄士敦(1874—1938),英国苏格兰人,原名雷金纳德·弗莱明·约翰斯顿,中文姓名庄士敦,字志道。早年在牛津大学攻读东方古典文学和历史,获硕士学位。1898年来华,历任香港总督私人秘书和威海卫行政长官等职。在华三十余年,遍历各省名山大川,出版过《儒教与近代中国》等著作。1919年2月,由李鸿章之子李经迈推荐,经民国总统徐世昌亲自向英国驻华使馆交涉,庄接受了当时据有紫禁城的清室内务府的聘请,成为溥仪的英文师傅。此后五年间,庄住在北京安定门外张旺胡同,每天进宫授读,与溥仪朝夕相处,给予他很大的影响。1924年初,溥仪指派庄管理颐和园、静明园和玉泉山,直到是年年底溥仪被逐出宫,颐和园等处也被政府收回为止。嗣后庄士敦又奉英国政府之命留华处理庚子赔款事宜,并在1927年至1930年间出任英国驻威海卫专员,其间多次前往天津谒溥仪,并保持着密切的通信联系。就在这个时期,庄士敦作为辛亥革命之后惟一在紫禁城中生活过的外国人,以中国由帝制向共和转变的历史为背景,以与清朝末代皇帝共处的经历为

内容,写成轰动世界的著作《紫禁城的黄昏》。

1930年10月威海卫归还中国,庄士敦随即离华返英。一年后因处理有关“庚子赔款”事宜并作为出席在华召开的太平洋会议的英国代表团成员,庄再度来到中国。他带着《紫禁城的黄昏》书稿,请溥仪赐写一篇“御制序文”。其时“九一八”事变已经发生,溥仪不久后潜往东北出任伪满洲国执政。

1935年9月10日夜,庄士敦从海路到大连港。几小时后,庄登上开往长春的列车,于9月11日下午五时三十分到达,在车站受到郑孝胥的迎接。当晚,溥仪设家宴给庄士敦接风洗尘。溥仪妻婉容、二妹韫和与二妹夫(郑孝胥之孙)也出席了家宴。

第二天是中秋节,庄士敦在长春市内观光。9月13日为礼节性拜访。上午九时拜访伪满外交部大臣谢介石和次长大桥忠一,十时拜访伪满国务总理大臣张景惠和总务厅长官长冈隆一郎,下午二时拜访日本关东军司令官南次郎,三时拜访伪满宫内府大臣熙洽。14日出席伪外交部主持的招待晚宴,15日参观教员讲习所,16日出席伪宫内府主持的招待晚宴,17日出席日本关东军司令部主持的招待晚宴。9月19日溥仪在伪宫勤民楼清宴堂正式赐宴。

庄士敦当时在伦敦大学教授中文兼任英国外交部的顾问,尽管他在伪满的“新京”与日本人及其傀儡周旋,却不曾向本国政府提供承认伪满的建议,他所尊崇的并非“康德皇帝”,只因为“康德”即宣统，即溥仪。

庄士敦终生未娶，度过了学者兼官员的一生。为了表彰他的贡献，英国皇室向他授予了爵位。他的以“龙归故里”为尾章的《紫禁城的黄昏》是1934年在伦敦出版的，庄士敦访问长春时伪宫内已有一部中文译本，那是由伪宫内府翻译官樊植译给溥仪看的手稿。庄以这本书的版税购置了一个小岛，悬挂伪满国旗，陈列中国文物，逢年过节则穿戴清朝朝服邀请亲友聚会，藉以寄托对溥仪的思念。他在1938年病逝，时年六十四岁，就埋葬在用《紫禁城的黄昏》版税换来的那个小岛上。

陈宝琛旅大之行

王庆祥

陈宝琛(1848—1935)，字伯潜，号弢庵，福建闽县(今闽侯)人。1911年6月奉朝廷派在毓庆宫授皇帝读，从此长期与溥仪相处，成为溥仪最倚重的“智囊”。

1931年11月10日夜，溥仪不顾陈宝琛的坚决反对，背着这位“忠心可嘉”的师傅潜赴东北。陈宝琛对此虽然气愤，却不愿抛弃君臣之义而置溥仪于不顾。

1932年1月24日，陈宝琛以八十五岁高

龄,在北方最严寒的季节动身离津,出关北上。当时溥仪在旅顺,由郑孝胥和罗振玉随扈,正与日本关东军的代表坂垣征四郎商谈伪满的“建国”问题。婉容的汉文师傅陈曾寿(字苍虬)之弟陈曾植据陈宝琛自述,将其赴旅顺谒见溥仪的经过载入日记(括号内文字系本文作者所加):

弢老(陈宝琛)十八日(旧历辛未年十二月十八日即公历1932年1月25日)到连(大连),暂憩大和旅馆,约苏厂(郑孝胥)来见。苏老怪弢老未先电告,言仓卒赴旅(旅顺),恐难入见,欲先通一电话至旅。弢老辞之。言此来只尽己之心,若不得见,亦无可如何。遂行。到行在,门卫日人闻弢老来颇表敬意,立为传达召见。是夜宿旅顺之大和旅馆。次日,又入见。第三日,苏厂父子(郑孝胥之子为郑垂)来,言日欲在大和旅馆开会,旅客均不能容留,催弢老行。弢老言本拟即行,已命几士(陈宝琛之子陈懋复)、午园(陈宝琛之甥刘骧业)赴连换金票,俟其返即动身也。遂见上陛辞,上嘱至连后稍缓归津。返旅顺,则苏厂父子不待几士、午园归,已代将行李上车矣。弢老至连,适与几士、午园错过。及二人由旅复返连,乃知非日人开会,实坂垣将到,恐弢老参预,故立促行也。逾日,上派人召弢老复入见。知坂垣见上,言拟建满蒙共和国,请上为总统。上未允。弢老痛陈其不可,请上坚持。临辞言,臣风烛余年,恐未能再来;即

来，亦恐未必能见，愿上珍重。凄然而行。至连，苏厂来，神气不似前此之高兴。言此事是罗叔言（罗振玉）办坏，将从此不管。弢老责之，言汝随上来，不离左右，此事岂罗一人之责！此时乃言不管，何以对上？渠默然无辞。弢老遂归。

1932年2月4日陈宝琛返抵天津。一个月后溥仪就伪满执政。

伪满《大同报》副刊《夜哨》创办始末

张振文

1932年春，分别担任中共哈尔滨市东区、西区区委宣传委员的罗烽和金剑啸，受中共哈尔滨市委书记杨靖宇的指派，负责领导北满的抗日文艺运动。他们先后办了"星星剧团"，建立了类似文艺沙龙的"牵牛房"(得名于房屋主人偏爱牵牛花)等文艺活动场所，团结了革命的知识分子。杨靖宇还指示他们：要"团结左翼文化人，扩大抗日宣传阵地，把报纸抓到手，抨击汉奸文艺"。根据这一指示，罗烽、金剑啸等人于1933年8月，在伪满洲国的心脏——"新京"(今长春市)的《大同报》上创办了副刊《夜哨》。

《大同报》，这张迎合溥仪就任伪满洲国执政，以其年号而取名的报纸，本来是由日本关东军一手操纵的，为其侵略有理制造舆论的伪满洲国的官方喉舌，发行量较大。该报第五版为文学副刊，每周约出版五六次。当时负责副刊编辑的陈华(原名陈受权)曾在北京大学读过书，是一位思想进步的爱国青年。他在办副刊“大同俱乐部”时，与萧军结为朋友，利用敌人对副刊检查不像新闻稿那么严格的机会，编发了一些左翼进步作家的作品。为了利用敌伪办的这张影响较广泛的报纸，罗烽、金剑啸等通过萧军与陈华结识，并商定创办由萧军提名的副刊——《夜哨》。该副刊由萧军集稿，陈华编发，每周日刊出一期。

《夜哨》以陈华写的《生命的力》为代发刊词，由金剑啸制作刊头，自 1933 年 8 月 6 日刊出第一期，到 1933 年 12 月 24 日，共出刊二十一期(金剑啸在 1935 年 1 月 15 日写的题为《结束吧“文艺”周刊》一文中说《夜哨》有二十三期)。该副刊发表的不仅有小说、散文、诗歌、戏剧、随笔，还有对俄国十月革命后人民的现状及中国、苏联著名作家作品的介绍。其撰稿人有罗烽、金剑啸、萧军、萧红、白郎、梁山丁、林珏、金人等。为了麻痹敌人，当然许多作品是曲折、隐晦的，也有些是为障人耳目而发的风花雪月之作。作者也要常常更换笔名，如罗烽就曾用过洛虹、彭勃、罗迅等。

《夜哨》在艰难举步中，终于引起了敌伪反

动势力的注意，特别是李文光的以描写辽南抗日义勇军生活为题材的中篇小说《路》的连载，更引起了敌人的怀疑。副刊很难再办下去了，以《夜哨的绝响》一文向读者告别。之后，编辑陈华失踪。

《夜哨》，这个意在黑暗中透出光明的文艺副刊虽然停刊了，但党领导的抗战文艺活动并未终止。1934年1月18日罗烽、金剑啸又通过白朗在哈尔滨市担任《国际协报》副刊编辑的有利条件，顺利地创办了《国际协报》"文艺"周刊，一批左翼作家和共产党人，以手中之笔，继续同敌人进行着顽强的战斗。

金剑啸，这位共产党员、作家、画家、报人，于1936年6月13日被日本驻哈尔滨总领事馆的便衣特务逮捕入狱。8月15日，他在敌人的屠刀下于齐齐哈尔市英勇就义，年仅二十六岁。罗烽等一批共产党人和进步作家，在敌人的追捕中，陆续转移到了关内。

《夜哨》虽然前后办了不到半年，但利用敌人的报纸宣传革命，引导人民与日伪抗争，不能不说是一个奇迹。它不仅在当时读者中产生了强烈影响，也给我们后人留下了深深的怀念。

郑孝胥三易其号

金意庵

郑孝胥，字太夷，又字苏戡，福建闽侯人。光绪八年(1882)举人。生于清咸丰十年(1860)，卒于民国二十七年(1938)。历任中国驻日使馆书记官和神户领事，广西边防大臣和湖南布政使等职。他工诗文，擅书法，著有《海藏楼诗》。

辛亥革命后，他以清朝遗老自居，1923 年夏投奔逊帝溥仪，深得赏识，先后任“懋勤殿行走”，总理内务府大臣，主管总务处和外务事宜。

“九一八”事变后，他曾接受日本关东军的邀请，唆使逊位已久的溥仪出关东北，充当伪满洲国的傀儡皇帝。他任伪国务总理兼文教部大臣等职，1935 年下台，后死于长春。

他在上海作寓公时，鬻字收入甚丰，每年约得二万多金，当时书家无出其右者，日本尤其喜爱他的书法。当了大汉奸之后，虽为国人所不齿，书品应与人品并重，但是他的书法世所公认，很有成就。我们不能以人废书。他早年学习书法，非常崇拜苏东坡的偏锋用笔和磅礴气势，因此，他的号用“苏龛”，也就是说把苏东坡供起来了。中年之后又参以六朝碑版，结合得宜，以侧媚取势，初具风格，因此，又把“苏龛”改为“苏堪”,沾沾自喜,认为差不多了。晚年已自成一家,书体灵动,轻中求健,稳中求险,醇雅脱俗,虽微疵霸悍之气,仍不愧为大家手笔,因此,他再把“苏堪”改为“苏戡”,也就是说已另立门户,把苏字统统斫掉了。这是他学习书法三个阶段,实有过人之处,充分说明他对书法钻研求索精神,并获得高度成就。不论人品,从书法艺术上来讲,还是有其值得肯定之处的。

苏军逮捕伪满战犯

于祺元

苏军进驻长春后,苏联的情报人员也随即进入长春,他们早已把伪满政府的各种设施和日伪官吏的底细摸得很透。苏军司令官通过一名早在哈尔滨领事馆工作过的苏军向导找到伪市长于镜涛,让他继续担任市长。8 月 25 日,苏军通知伪满各部大臣和参议等到原日本关东军司令部开会。通知开会的名单事先经于镜涛看过,看看有无遗漏。因让于暂当市长,故未通知他参加会议。另外还有几个人没参加会议,如韩云阶(伪经济部大臣,战力监察使)早从锦州躲到家乡金县(后逃至北京、台湾、日本,死于加拿大),张海鹏(侍从武官长、将军府将军)和张文铸(侍从武官长)化装成道士逃离长春,蔡运生(伪

中央银行副总裁、经济部大臣)也躲起来。张景惠等到会后，见于镜涛没有来，心中无底，便让吕荣寰(伪民生部大臣)、邢士廉(伪军事大臣)和张绍纪(张景惠之长子)三人到市政府去找。他们对于说："苏军找我们开会，不知是何用意，大家很不安，总理希望你一定去看看。"于镜涛因情不可却，便随他们到了原关东军司令部。据于镜涛回忆，当大部分伪官吏都到会后，科瓦廖夫大将和一名苏军中将简短地对他们说："目前长春局势还不算稳定，你们呆在这里很不方便，我们认为你们还是到苏联去比较好。"然后让他们各自写个条子，派人到各家去取随身需要带的东西。就这样，把这些伪满战犯送到苏联伯力。在苏军派人到各家取随身携带的东西时，还向每户派了约两个班的苏军士兵，先是收缴武器(如手枪和子弹等)，然后为保护家属安全，驻守了二十多天才撤离，在此期间家属可以自由出入。

日本和伪满战犯到苏联后，便按级别把将官和伪满政府内阁成员分到高级战俘营，省长以下的分到一般战俘营。

吉林北山庙会

苏立仁

吉林北山庙会始于清朝康熙年间，自每年农历四月初八起,人们就陆续进山拜庙。四月十八是娘娘庙会,四月廿八是药王庙会,五月十三是朝拜关云长的日子。落后的旧中国,贫苦和疾病是人们生活中的两大威胁，不论有病无病都要祈求神灵的佑护，药王庙也就成了黎民百姓健康祛病的精神寄托。久而久之，人们约定俗成,每年四月廿八不期而聚。虽说是朝神拜圣,但也渐渐地形成了农商贸易的集市和探春、消夏的节日。昔日庙会时节,不仅城内万人空巷,就连四乡村屯也套上牛车，赶上毛驴，孺叟相携，涌向城北。远在辽宁、黑龙江两省的人们也慕名纷至沓来。所以，那时人们常说："千山寺庙甲东北，吉林庙会胜千山。"

北山庙会确是好去处。出德胜门北行，但见峰峦叠翠，一山横亘，山上山下，人山人海。山分东西二峰，两峰间凌空飞架石拱桥。庙堂楼阁掩映于绿树丛中，山下清泉淙淙，湖波荡漾，可与江浙风光媲美。清末诗人沈光禔旅吉后曾大发诗兴："门前即是西湖景，船厂天然避暑乡。"

过了卧波桥，山下平地席棚林立，遍地摊贩，熙熙攘攘。拉洋片的操着各地方言，展示各地风光；卖糖人的掌柜不但高声叫卖，还时而当众吹起糖公鸡、糖孙猴儿，惹得孩子们心里直痒痒；地摊上摆满木刀木枪、不倒翁等儿童玩具，及香烛纸马一类的祭品；货棚里有名的王麻子膏药、双葫芦菜刀，还有宁折不弯的扁枣胡文明棍。备受青睐的是纸糊的葫芦和花篮。这是因为药王庙里供奉着李时珍、孙思邈等药神药圣。李时珍进山采药挎着筐篮，归来时，篮子里装满了能医百病的中草药；孙思邈葫芦里的丸散丹粒可以解病祛疾，救死治伤。所以，花篮和葫芦便成了庙会的吉祥象征和畅销货，这种特产在吉林已有二百多年的历史。逛庙会是不用担心饥渴的，花一分钱可以把凉水喝个够。但那不是普通的凉水，它来自山脚下的廉泉水井。几股甘甜的清泉从山间涌出，积水成潭后，于民国六年(1917)建成一口双眼小井。井水味如薄酒，含多

种健身的元素，所以，烧茶水的和卖凉水的都从这口井里担水。一些风味小吃，如黄米切糕、糖酥麻花、白肉血肠，更是诱人大开食欲。

登山逛庙可踏石阶曲折蛇行，也可仿猿效猱攀崖向上。进山门，从东路拾级而上，半山腰处是泛雪堂，人们往往在这里歇脚。泛雪堂建于清朝末年，文人骚客多会于此赏雪赋诗。吉林名士宋小濂为泛雪堂书写楹联道："爽借清风明借月，动观流水静观山。"再向上，就是悬壁而建的关帝庙。庙前一米平地是朝暾台，扶栏下望：荷花池、湖心亭、荡舟湖、卧波桥历历在目，水光山色胜似杭州西湖美景。庙内供奉龙王和火神。正殿东有翥鹤轩，西有暂留轩、松风堂和澄江阁。

供奉着十位药王的药王庙建于清乾隆三年(1738)，庙内除供奉天皇、地皇、人皇外，还有孙思邈、扁鹊、华佗等历代名医的神像。庙门旁的小龛供奉着"十不全"的小塑像。

穿过药王庙后，就是地势最高、规模最大、气魄恢宏的一组庙宇——玉皇阁。一幅"天下第一江山"的横匾高悬在石阶的牌楼上，玉皇阁内有观音殿、祖师庙、朵云殿等建筑。

北山寺庙，不仅历代文人学士泼下了不朽墨迹，就是一代帝王乾隆皇帝也挥笔题匾，在庙中留下亲笔御书。

张作相的金龙

草木子

1931年“九一八”事变之前执掌吉林省军政大权的张作相，在以张作霖父子为首的旧东北统治集团中，为人比较厚道，居官还算廉谨。他把宦囊所获得的大部分，买了几千两黄金，像宋张俊镕银为没奈何那样，铸成十条金龙，藏在他锦州的老宅，作为传家之宝。“九一八”事变发生后，及至日寇西侵锦州陷落，他的家人仓猝间竟未能将其转移运走，被日寇掠去。他为之非常懊丧，逢人辄道，并不隐讳。从此意态消沉，作为东北集团第二号人物，对于局处在河北省的二十几万东北军外临敌寇咄咄进逼，内遭蒋介石借机吞并这样危难困境，应如何应付解脱，却不再积极参与筹划，而退避潜居天津。蒋介石拉他要给个高级闲曹伴食官职，他婉辞回绝；日寇也企图拖他下水，在伪满当个大汉奸，他更严辞峻拒。等到抗战胜利，便以天津寓公的身份告终。

"驼龙"之死

于祺元

"驼龙" 是20世纪20年代吉林省著名女匪,1925年1月19日在长春伏法。据1925年2月9日上海《申报》有关"驼龙"的报道,1924年"驼龙"之夫"仁义军"首领"大龙"被正法后,她又转嫁"九龙"。"九龙"死后,匪帮视"驼龙"为不祥之物,她遂投入双城县境内女匪"一枝花"匪帮。后来,"一枝花"见"驼龙"暴乱无度,又无法制服,便与她分股。"驼龙"自带二百人部众辗转攻入长春县内小合隆、万宝山等处,屡败官兵。时值奉系军阀在直奉战中获胜,遂调军剿匪。长春统领李植初亦派警备队三营助剿,将"驼龙"部众包围于双顶子,使其全军溃败,只"驼龙"一人逃脱。她于1925年1月8日投奔公主岭鸿顺班妓馆干娘处,下车后,被该地陆军稽查处密探发现,入夜时被官兵捕获,翌晨便解到长春统领部。1月19日中午, 奉奉天指示枪决示众的回电,将"驼龙"提出,验明正身后,押赴长春三马路东头荒地枪决。据当时《申报》载:"当其押赴刑场时,该匪身披大红库缎平金猞猁斗篷,内穿宝蓝狐腿旗袍,头戴白皮暖帽,面不改色,貌颇不恶,殊不知其杀人不变色之悍匪也。观刑者人

山人海，该匪站立囚车上，向众人曰："我名张素贞，驼龙系我外号，今年二十五岁，奉天辽阳县人，十九岁下窑子，大龙花三千元，替我赎身，遂跟大龙前后为匪六年，死我手下者不知几千人，一个娘儿们，能纵横数百里，屡抗官兵，总算露脸了，今又承诸位盛情走送，谢谢……。"

"驼龙"已死六十六年之久，但对她的评价却众说纷纭，凤鸦难辨，扑朔迷离，尚待进一步考证，藉以澄清。

灯　官

张振国

解放前，灯官巡察是元宵节独特的娱乐活动。说它独特，它既是元宵节的一种娱乐活动，又能督促灯展，维持社会治安。这种活动，相传起源于唐代。唐太宗为使文武百官在元宵节尽情玩耍三天，便指派各县邑设有灯官，赐名为"灯政司"，代替地方官的职务，任期为正月十四至正月十六。这三天，灯官还比地方官高一品呢。

灯官巡察时要做艺术表演，扮演灯官的人大都是当地的乞丐头，这个人打扮得离奇古怪：头戴红缨帽，身穿青罗袍。袖口带马蹄，玉带系在腰。嘴角画黑胡，鼻梁涂白道。挺胸凹腹，摇头晃胸，指手画脚，滑稽逗人笑。他坐在一辆带有彩棚的马车里，身边还有一位由男青年扮成的官娘子陪伴。这位“娘子”穿红挂绿，涂胭抹粉，化成花枝招展的美妙女子，依偎在灯官身旁。另外还有几名衙役，有的手举写着“肃静”或“回避”的四方灯在马车前开路；有的手持钩竿铁尺在灯官身后保镖，各个都表现出凶神相。马车在闹市中缓缓行进，灯官、娘子、衙役都伴着锣鼓、喇叭的节奏像扭秧歌似的做出各种表演。

灯官巡察，走一段路打一个场。打场时，他们乱舞一阵，之后，灯官就怪声怪气地朗诵道：

正月里来正月正，
正月十五挂彩灯。
哪家不把彩灯挂，
本官罚他不留情。

伪满康德十年(1943)元宵节之夜，笔者看见灯官巡察到磐石县城的东门里天合兴杂货铺时，灯官发现这个商号的灯有些昏暗，就令马车停下，他一边挥手一边喊叫：

天合兴的走马灯，
乌漆墨黑看不清。
本官罚你十包蜡，
少拿一根也不行。

天合兴掌柜张化南是一个又细又高的瘦老头。他听灯官这么一喊，急忙抱拳相迎，口念：“遵命，遵命！”遂即命伙计抱出一抱蜡烛献上，脸上并无半点愧色。这是因为被罚者认为挨罚是表现自己慷慨大方的机会，谁也不反感。

元宵节过后，灯官还独自到各家商号拜年索礼，索来的礼钱和罚来的蜡烛、元宵，部分付给吹鼓手、娘子、衙役、马车夫当工钱，大部归己有。元宵节的三天里，灯官又神气又实惠。

德惠浴池的传统堂联

郭玉林

德惠最早的浴池始建于民国年间，皆为私营。至 20 世纪 40 年代初，尚有浴池三处，即西江泉、福顺泉、裕兴泉。

旧社会的服务行业都有一套传统的生意经。业主们为了招徕顾客，在浴池门口或搓澡大厅墙壁等处，都悬贴堂联。

浴池水房的堂联是："金鸡未唱汤先热，玉板轻敲客早来。"在理发间的门上贴的堂联是："进门面如彭祖，出门貌似书生。"由于那时的浴池，洗澡、理发、修脚配套服务，所以有"搓澡能成神，剃头刮脸三分俊，修脚走路如驾云"的传说。

为了保持池塘的卫生和维护顾客安全，也通过堂联向顾客作宣传："身患贵恙勿前来，酒醉年高莫入池。"

这些堂联，虽已变成历史，但仍有鉴今之意。

火烧船厂

王健群

清末民初，东北流行着“风刮卜奎(齐齐哈尔，曾是黑龙江省会)”、“火烧船厂”、“狗咬沈阳”之民谚。船厂，吉林市之旧称。明初，辽东都指挥使刘清曾领兵在此造船，然后用巨舰载衣食货物，顺松花江北上，再沿黑龙江东行，支援以黑龙江口特林为中心的奴尔干都司所辖下之边民。至今，吉林市之阿什哈达尚有摩崖记其事。

明清两代一直在此地造船，并有水师营之建制，故官民皆以船厂名此地。清初改称吉林乌拉，但船厂旧名并存。

康熙十年(1671)，因生聚日繁，遂于此地设吉林副都统以辖之，属宁古塔将军治下。康熙十五年宁古塔将军移防吉林(乾隆二十二年改称吉林将军)，于是商贾云集，遂成为东北繁华之都会。

清末，吉林在东北地区仅次于沈阳，广市通衢，商行栉比，庐舍相连，异常繁庶。彼时，官衙、大商店、富有者皆砖墙瓦屋，但一般民宅、小商店、客栈仍多木篱茅舍，易于受灾，前者后者又杂处其间，一家火起，虽砖瓦之筑亦难免池鱼之殃，常常烧却一片，又尝一月数警，故有“火烧船

厂”之谚。

自然火警，自不必说，然亦有纵火泄愤之说，试举故老传闻之一例：

当时衡器以十六两为一斤，奸商利徒，往往短斤少两，常以十四两充一斤，民受其害，诉诸官府，无人为此细事过问。一日，一老者衣裳褴褛，拄龙头拐杖，杖头系一大火勺(东北土语称烧饼为火勺)，漫游市里，高喊“火勺十四两”，好事者围观，不解其意。入夜，凡以十四两充一斤之商户，同时火起，延及市区，数日方熄。官民皆以天意为此，不再追究。然细心者闻火中夹杂火油味，知非天灾，“火勺十四两”实“火烧(勺谐音)十四两”也，以十四两充十六两之商贩遂多引以为戒。

京控

罗继祖

《清史稿·刑法志》云：“直省以州县正印官为初审，不服，控府、控道、控司、控院，其有冤抑赴都察院或步军统领衙门呈诉者，名曰京控。”又：“‘京控’及‘叩阍’之案，或发回该省督抚，或奏交刑部提讯。或情罪重大以及事涉几省大吏，抑经言官、督抚弹劾，往往钦命大臣莅审，发回及驳审之案，责成督抚及司道亲鞫，不准复发原问官,名为钦部事件。”又:“自顺治迄乾隆间,有御廷亲鞫者。” 凡此皆见清代对刑事案件之慎重,虽有三法司之设,仍许有冤抑者“京控”与“叩阍”,作为常制。此实以前各朝所未有。清朝《实录》记此类事尤夥,我现因手头无书,即有书也翻检难遍。虽然,法制纵考虑极周密,而执法在人,封建王朝,人事关系,旁午交错,猾吏复从中舞文,冤狱遂成,如“杨乃武与小白菜”,则是冤狱中之绝奇者。

杨案绵亘四年才结案,传说纷纭莫可究诘,其中以李慈铭《越缦堂日记》所记较为可信,但也有误信而误记的。若近日荧屏上映之影视剧,情节虽颇动人,因其原本是戏,渗入水分极多,又加入一些无关宏旨之穿插如醇亲王之预闻此案及刑部大堂之爬“滚钉”等等,使观者眩奇诧异,全非史实之类,且汩没了此案之本质。杨案之祸首全在余杭县令刘锡彤之子子和一人身上。刘子为一纨绔无行之“衙内”(袭用《水浒传》中高俅之子之称),垂涎小白菜必欲得而甘心,而杨乃武在乡里好打抱不平, 流俗遂诬为包揽词讼,行为不端,以致构成冤狱。于是浙省自县令、知府、藩、臬、巡抚,以至学政大小官吏百余人咸入网中,不可谓不奇。刘令之倒行逆施而无一人敢于举发,则以刘为当朝相国(宝鋆)之乡试同年也,李慈铭一语破的。最后以乡里公愤,言路直言,《申报》之秉公疾呼,才耸动慈禧之听,令刑部堂官彻底讯办,谪罚有差,而一幅“官官相护”的“百丑图”才首尾暴于天日。有人归功于慈禧,

其实慈禧有何功，不如以功归之清朝立法之完善，使杨毕两人得以残生。而杨之姊与妻两弱女子挺身两度“京控”，跋涉千里，匍匐求援，也起了一定的促进作用。

20年代市招一瞥

草木子

20世纪20年代间东北街市上铺店多悬有招幌，五花八门，耀眼生辉。自30年代起，逐渐被淘汰，至今只有饭馆、酒家还在沿用，其他都已成为历史上的陈迹；早时消亡的就是现已年届花甲的老年人也未曾目睹。现把我所见略述之。

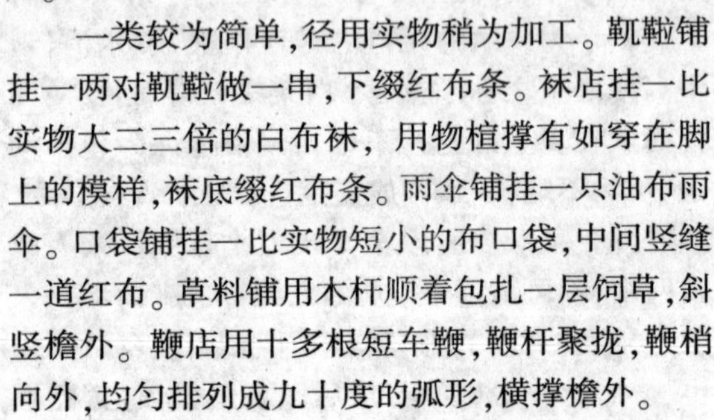

一类较为简单，径用实物稍为加工。靰鞡铺挂一两对靰鞡做一串，下缀红布条。袜店挂一比实物大二三倍的白布袜，用物楦撑有如穿在脚上的模样，袜底缀红布条。雨伞铺挂一只油布雨伞。口袋铺挂一比实物短小的布口袋，中间竖缝一道红布。草料铺用木杆顺着包扎一层饲草，斜竖檐外。鞭店用十多根短车鞭，鞭杆聚拢，鞭梢向外，均匀排列成九十度的弧形，横撑檐外。

一类是就所售货物的形体设计仿制。钱庄挂一或两对铜制的幌子，中间为一枚立起的单钱，上下各为两串缗钱。单钱直径有半尺，形制全如真钱，缗钱则是用直径约二寸长约尺许的铜简刻纹如一串钱叠贯。茶馆备有茶具、座位供聚坐茗饮的，在门前并排悬挂四列木制上为云头、中为长方板、下为叶片相连缀的幌子。这些什物形体都较小，长方板只有半尺许，云头、叶片则更具体而微。叶片体状茶叶，云头是装璜物，长方板两面书有“黄山云雾”、“洞庭碧萝”、“西湖龙井”、“君山银针”等名色；仅卖开水的只挂一列长方木板和茶叶片，木板有的一面写“扬子江心水”，一面写“蒙山顶上茶”，有的则是素白。中药店挂一对体状膏药的幌子。饭馆挂一二对象征面箩、面条的幌子。前者取消时间较晚，至今还能见到。切面铺挂一尺多长的弧形木牌，下缀几层纸或布条体状面条的幌子。钟表店挂薄铁板剪制或木版上绘制的怀表幌子。煎饼铺挂一具横木条下垂半圆形的白布并排列缀三条红布幌子。豆腐房挂四方小木片，角对角连缀成串，下系红布条的幌子。木片上一面写“好大豆腐”，一面写“可也不小”，不知出自谁手，何所构思而竟普及。面筋房挂用白布缝制的体状面筋双双并列成方形，也下系红布条幌子。只沽售而不供酌饮的酒店挂一个锡制的小酒坛，酒坛底同样缀一红布条幌子。这些幌子不少缀以红布条，当是由于色调显眼和意味吉利。

一类则招幌既非象形也无寓意，但积渐成习，却一望即知。很为煊赫的是名曰“丝房”而实为经营绸、缎、布匹和上杂货的铺店，挂一或两对红缎条幅制做的幌子，它宽二尺、长五六尺，

边镶黑或粉色走牙，下缀丝线流苏；条幅为双面，衬有不致翻卷的粗重的棉、麻布之类的里子，用雕刻精美的横木悬挑；条幅上丝绣字号和货品名。糕点店挂雕刻或采绘的所谓中八件的木牌幌子，一般是与门面比齐，顺檐架起加工刻绘的长木枸等距离悬挂八块长约二尺、宽及长度多半的木牌，一面为五彩或髹枸金的八仙人像，一面笔写或浮雕各种糕点的品名。理发店的幌子颇为别致，用二或四幅约二尺长、一尺多宽的白布，下边剪作燕尾形，黑布镶边，上面中间写店名，左右写“清水洗头”、“朝阳取耳”字样。

徐致靖劝康有为莫做徐世昌的姨太太

罗继祖

《许姬传七十年见闻录》言张勋复辟时，弼德院院长为徐世昌，而康有为任副院长。徐仅叟(致靖)本为戊戌变法元老，曾特疏荐康于光绪。事败，康脱逃，徐被幽囚。及闻康复辟任是职，徐致电阻之，中举四点，其一点云：

> 听说你要做弼德院副院长，而正院长是徐世昌，他是袁世凯的死党，你做他的姨太太，我替你难受。

仅叟快语殊令人解颐。按:康蒙光绪非常知遇志在报恩,故参加张勋复辟,以求一逞,且终身以之;徐则看透时局,洁身引退,决不甘为遗老,以为宣统孺子无足与谋,故与康始合终违,正不妨各是其是,无可疵瑕。予因此忆北宋之亡,金人拥戴张邦昌,宋廷诸臣,工部侍郎何昌言与其弟昌辰避邦昌讳,皆改名,独徐俯置买婢名"昌奴",客至,即呼前驱使之。其事见《宋史一三一徐俯传》,俯父禧为宋死难,俯又为黄庭坚外甥,宜临事有风节,而何昌言兄弟则媚邦昌恐后人所不齿。《独醒杂志》记何两事,一官给事时值蔡京罢相,奏言宜宣布其罪状,徽宗许之;一江西有"状元"自昌言始,独不记其避张邦昌讳事。前一事尚为言人所不敢言,后一事联其避邦昌讳事,不几重为"状元"辱耶?

此事为"昌"字历史故实,予戏谓今日《辞源》昌字下似宜增"昌奴"一条。

蒋管区强拉壮丁一瞥

于国谦

解放前,蒋管区兵役法有"国民有服兵役的义务"条文,并规定,独生子免征,二丁抽一,三丁抽二,但实际都是强拉广大贫苦农民,有钱者可送贿免除服役,或出钱请人顶替。

我记得在1943年冬天（当时本人正在安徽阜颍师管区工作），在阜阳县王化集区，小李庄保甲长会同国民兵一个班，在凌晨二时许到小李庄一贫农家抓张保久的儿子张小三，抓到后正拟带走时，他的妈妈哭泣着说，有句话要嘱咐孩子。说着就把小三拉到屋内，只听“哎哟，妈呀！”刺耳叫声，小三就用手捂着右眼跑出来，手上正流着血。原来是妈妈将儿子右眼扎瞎，剁掉其子右手食指。为了躲避兵役自残身体，这只是其中一例。蒋管区强拉壮丁，许多贫苦农民深受其害，于此可见一斑。

苏轼手书两赋卷收藏始末

刘　刚

我捐献给国家的苏轼手书两赋(即《中山松醪赋》、《洞庭春色赋》,以下简称两赋)真迹公开报道后,引起了很大反响。许多专家学者、文学爱好者、书法爱好者,以及关心文物事业的各级领导,都为此而振奋。一时成了文物界共同瞩目的事情。

两赋得以保存下来得从我父亲说起。我父亲原名刘忠汉,又名刘建勋,出身于一个破落的小地主家庭,自幼读书,爱好古典文学,能写一手好诗。文革前我曾在书箱中看到他的两本诗稿，后在文革中被烧毁。约在1945年秋冬之际，我父亲有一次从文件包中拿出一个纸卷，小心地展开，认真看了起来，爱不释手，然后又卷了起来，让我母亲好好锁在箱子里。母亲说，一张破纸有什么稀罕，还值得这样。我父亲说，你不懂，这是古人写的，若是真迹，就很珍贵。我母亲又问是从哪弄来的，他说是买的。此后，他在家中除看书，就时常看这幅字。因为我父亲喜欢，母亲也就更加细心地保管了。

翌年春天，长春第一次解放时，我父亲下落不明。当时我才三岁。我们母子生活从此也就困难了。我姥姥曾劝母亲回吉林生活，母亲却认为父亲不会有什么差错，会回来的，决心在长春等他。母亲把两赋卷用纸包好，放入箱子底层，作为纪念物保存下来。

长春解放后不几天，我舅舅将我们接回吉林。我们只随身带走两个旧式木箱子，因为在极其困难的时候一切能典当的已卖光了，但苏轼的两赋卷却依然完好的放在箱子底层，连同我父亲看过的旧书、诗稿等一起带到吉林。

在“破四旧”的日子里，眼见一些古迹、书籍等被砸、被烧，心中十分痛苦。同时也联想到家中保存的苏轼书卷，恐母亲在这股风中抵御不住，将其毁掉，或被抄走，便匆匆地由吉林大学赶回了家(那时我正在吉大读书)，告诉母亲那不是“四旧”，要好好保管。母亲于是更仔细地将苏轼两赋卷包了起来，裹在衣服里，放在箱子底下，以免被抄家者发现。而我父亲收藏的一些古旧书,都在当时街道造反组织的催逼下烧毁了。幸好,以后没有人来抄家,两赋卷终于躲过了这场劫难,完好地保存下来。

苏轼手书两赋卷真迹鉴定经过

刘 刚

大约在我初中二年级的时候，我到箱子里翻衣服,发现了一个纸卷,我好奇地将纸卷展开看了起来,在卷尾落款处有东坡居士字样,根据平时所学知识，我便认定东坡即苏东坡、苏轼了。两赋卷字体潇洒俊逸,端庄而含流利,刚健而含娜婀,笔意雄劲。看了之后,便对两赋手卷产生浓厚的兴趣,促使我去学苏轼的文章,研究他的书法、身世。

在大学期间,我除了学习专业外,对论述苏轼的生平和学术著作的有关文章，也多方查找阅读,并作了一些卡片。对苏轼书法的影印本也细心地翻阅,并对考古发生了兴趣。由于眼界的扩大,这时方知书画也有真品和赝品之分,我也试图要鉴定它的真伪,但不久,“文化大革命”开始了。

打倒“四人帮”以后,我决定拿出来请人鉴定,如果是珍品就献给国家,赝品就自己留藏。1978 年，我把两赋卷拿到吉林市有关单位公开

鉴定，有一位年青的文物工作者看后一口咬定是赝品。但他的观点、论断缺乏依据，不能令我信服。我以所见的苏轼的字帖，如宋拓西楼苏帖等仔细进行比较，觉得笔意十分相像，很难看出是伪品。

1982 年 10 月底，我找到吉林市史学会理事、民革成员、市十三中历史教师周克让同志，在他帮助下，我们去拜访了溥仪的侄子毓嵣，他对宫中文物的收藏，特别是字画的收藏情况比较了解。毓嵣看过两赋后说，对苏轼卷没有印象，但经过仔细观察后指出，从两赋卷的玉石轴顶看，又很像宫中之物。11 月在市史学会年会上，我见到了吉林市图书馆刘迺中副馆长，他对书法艺术素有研究，是吉林市著名书法家。我邀请他参加鉴定。经周克让同志联系，又邀请吉林市著名书画家金意庵一同到市图书馆鉴定。12 月7 日，我们聚会于市图书馆馆长室。大家围在一起，对两赋卷进行了认真严肃的全面鉴定。他们三位专家看过之后拍案叫好，一致认为是真品。一听是真品，我非常高兴。既是真品，那当然就是国宝了，谁能不为此而高兴呢?所有在场的人都异常兴奋，都为这件极其珍贵的文物安然无恙而庆幸。他们三位当即征求我的意见怎么处理，我说既是国宝就献给国家。他们三位非常高兴，经过商议，我决定把它献给吉林省博物馆，并推金意庵作书与省博物馆。1983 年 1 月 13 日，省文化厅贾厅长，文物处郭处长和博物馆艺术部的一些同志亲自赶来吉林并将两赋卷取

走。1983 年1 月 26 日，在吉林省博物馆由省文化厅主持召开了奖励大会，并将两赋卷第一次在博物馆展出。

宋铁梅铁笔师承

孙晓野

宋小濂号铁梅，清末民初与徐鼐霖、成多禄齐名，张朝墉谓之“吉林三杰”。铁梅之篆刻、魏碑，称绝一时。因为他长期在长春、黑龙江等地工作，而终老于北京，以故吉林城内知道铁笔功夫的越来越少。

我所亲见的《三十五举》有二：一是《三十五举》及《续三十五举》合订一册；二是《三十五举》、《续三十五举》及《再续三十五举》合为一册。就前两册来说，前者为未修改本；后者为修改本。前者是光绪三年(1877)葛元煦本；后者是吉林探源书舫本。两书相较，差异很大。而尤为特殊者，则前一书有钟石顽及宋铁梅先后两跋。两跋中，字短情长，于铁笔生活，充分地流露师弟情谊。

石顽跋云：

> 余自弱冠，性喜摩弄金石。凡于考订之书，多所承资。是本藏于行笈已十余年。铁梅子索赠，即以归之。铁梅亦善金石，贻此

殆欲有以助之耳！壬辰嘉平，石顽氏识。（末附朱文小印“石顽”。）

“藏于行笈已十余年”，相将出关，宝爱可知。而“铁梅子索赠，即以归之”，金石之契，至足念也！

铁梅果不负厚望，竟于六年后，跋云：

余粗知篆刻，自海昌钟子石顽始。石顽故工铁笔，余时戏从仿效，久之，渐有规模。石顽遂出此本见贻，并跋卷尾。自是暇辄展阅，临刻亦多，于此道源流稍有所得。惜石顽南归，余亦侨寄长春，未知把晤何时，得剪烛深谈，一相印证也。戊戌端节后三日，铁梅氏识于长春寓庐。(后有朱文长方印“铁梅”，边框亚字形双钩，0.9×1.6厘米。)

跋中的这些话，说明了钟石顽和宋铁梅在铁笔上的师友关系。石顽亦明言“铁梅亦善金石，贻此殆欲有以助之耳！”

钟跋在光绪十八年十二月，宋跋在光绪二十四年五月，钟宋两跋相去六年，六年之间，“惜石顽南归，余亦侨寄长春，未知把晤何时，得剪烛深谈，一相印证也”。依恋之情，溢于言表。

往日吉林老辈中篆刻家，应推刘葆森(种兰)及宋铁梅。

旧黄历

孙晓野

旧日的"时宪书",用现代话来说,就是日历本。一年一换,用过即丢,一般的没有什么用处。可是若是积存下来,若干年后,竟成了不可多得的史料。

偶检旧书,翻出一本《光绪十八年时宪书》来,里面有几条关系到吉林省城的记载,上有家父的眉批:

三月大,初一,己未。当日记载:"元兴号关闭。"

初十日,戊辰。当日记载:"酉时二刻开江,推冰。"

按此事关系到气候和水文。吉林市小丰满江水截流以前,每在"清明节"前后解冰,谓之"开江"。松花江解冰,分"文开"和"武开","武开"谓之"推冰",此事关系到吉林的解冰季节和水文情况。

四月小,十日,乙巳。当日记载:"走水,同昌号、双义成。"

家父在书眉上作注:"失火,谓之'走水'。粮米行三道码头路北,双义客栈内,驻军车拉枪弹,着工人钉弹箱子。工人一足踩木箱盖上,用斧钉钉,钉触弹上,爆炸火起,将房盖冲举天空。工人一腿随烟崩起,身葬火窟。相连市商同昌号、双义栈,同兆焚如。——是年予九岁,在塾读书,先野记。”

十二日,庚子。当日记载:“打雷。”

按时为公历5月6日。雷响谓之“打雷”,谓本年本地第一声雷。

七月大,初三日,戊子。当日记载:“火轮船下江。”

按“火轮船下江”,谓“船入水”,此事关系松花江航运史,在民国初年以前吉林乃“火轮船”之始发站。

九月小,初七日,壬辰。当日记载:“申初,二刻十分,出高福。”

家父在书眉上作注:“吉林省省僚长顺将军,在任内收有降匪高福,专射击于夜里,能打香条之火头。该匪系榆树县大于屯人,群匪推举为首领,俗叫胡子头。长帅收服后,留该人在吉垣充武官。惟福与副都统富英阿有隙,富矫抗将军大令硬使手下斩福于西石砬之前。彼时斩犯人谓之‘出大差’,差音猜。”

十二月大,初四日,戊午。当日记载:“宽城大众关被(闭)。”

家父在书眉上作注:“即长春县城。众商罢市,罢工也。”此事在长春,原因不明。但是波及面较大,吉林商户已注意此事。

我家过新年为何挂白色春联

金意庵

我1915年生在北京一个破落的封建家庭，定安亲王府。当时清帝已经逊位，根据优待清室条件，这座府第，仍为我们家族所有，地址在北京西四牌楼南缸瓦市十号，系乾隆年间赐给皇长子定安亲王永璜的官邸。清高宗十七个儿子，我们这支，安、恭、端、敏四辈亲王，一辈慎郡王。最后改封贝勒，也就是我的叔祖毓朗公，在清末当过军机大臣，所以也叫朗贝勒府。在民国时售出拆掉，现在的义达里就是定安亲王府旧址。在我幼年时期，每逢新年就把装饰好的白色春联拿出来，除夕挂上，过了正月摘下来，封存备明年再用，相沿成习，一直到搬出府第。

我上中学时期，同学们问我，人家过年贴红色春联，你们家为什么挂白色春联，不知道还以为办白事呢！大年初一多不吉利呵！我实无言可答，便问我母亲，她讲，我们是天潢贵胄，亲派近支的宗室，应随宫内礼节，不知究竟是什么原因。此时，仍在我心里存在一个问号。

解放后，我由上海转到吉林工作，因为吉林是满族发祥之地，我曾请教祖籍的家乡父老。据称，满族“崇尚白色”，认为白色为吉祥，红色为凶恶。这种观念的产生，是早些年满族起源于狩猎生活，如果穿上红颜色的衣服很容易被野兽发现，而穿上白颜色的衣服往往不易被野兽发现，比较安全。在我心里多年的问号，找到了答案。我家所挂的白色春联，都是恭正楷书，为翰林名家手笔，配以木框，边饰绫锦，非常讲究。又据说，早些年满族办喜事也贴白对联，并不是专指皇族贴白色春联，南满后来改为黄色，因为皇帝喜爱黄色，是受汉族的影响。现在我把这个掌故写出来，供研究满族习俗历史的人参考。

吉林教育的一段史话

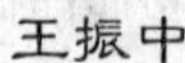
王振中

吉林自古僻处东陲，古为尚武之地。满族入关后，于康熙三十二年(1693)为启迪文风，始设科试，开始重视教育，但以满族八旗子弟为主，于骑射弓马外，学习满文。在省城(现吉林市)设左右翼官学各一所。定学额及贡乡额，初仅有拔贡额一名；规定十二年一科。继因人文日盛，生员众多，光绪九年(1883)，吉林将军玉亮、学政朱以增奏请慈禧太后批准，拔贡名额增为四名，即以光绪十一年(1885)乙酉科选拔之年为始。成多禄及何永清、荫昌(满籍)、牟康年均是此科考取的拔贡。光绪二十二年(1896)，全国开始取消科举办新式各种学堂,后又设立提学使,主管吉林全省教育。光绪三十三年(1907),清政府又将各省提学使取消,改为劝学所,总所设在省城,林伯渠曾当过吉林的劝学总所会办 (类副教育厅长)。直到辛亥革命前一年,才成立了吉林省教育总会,当时各省还没有成立教育厅。

先父王世选(字伯康)于清宣统二年(1910)考取官费留日,在东京明治大学政经系毕业后,即回吉林工作,于 1916 年春被选为吉林省教育会会长,后又一度兼原籍永吉县劝学所所长。1917 年至 1920 年曾和黄书绅等人先后参加三次全国教育联合会。1922 年 7 月任吉林省教育厅厅长,为省教育经费和督军孙烈臣发生争执,孙大怒免先父职,调为宁安县(解放后划黑龙江省)知事,派于源浦接任。先父于 1960 年去世。

转眼已七十四年前事矣。追述之,亦是我省教育一段史料耳。

阎慕昭办学

杨蔚宾

民国期间,随着吉林农安经济的振兴,教育事业也得到发展。由于群众受封建思想的影响,不让女孩子上学读书。这时,出现一个热心为女子办学的人,她的名字叫阎慕昭。

阎慕昭，伏龙泉人，从小很有志气，非常敬慕古代女史学家班昭，所以自名慕昭。她性格刚强爽朗，思想要求进步。童年时期，不顾家人的反对和乡邻的讥笑，勇敢地摆脱封建礼教的束缚，走出家门，到当塾师的外祖父那里学习。后来，她考入女子师范学校。

1914年，阎慕昭师范毕业，在大赉县和长岭县小学当教员。为了实现办女子学校的理想，她毅然辞职，回到家乡伏龙泉。

阎慕昭回到家乡，把办女子小学的主张讲给父亲，想求得支持，却遭到父亲的反对。她的办学决心毫不动摇，耐心向父亲讲明创办女子小学的道理，终于说服了父亲，捐献房屋十三间，购置了学生桌椅和办公用品。由于群众受旧思想影响，不愿意送女孩子上学，学生的来源又成了难题。在这种情况下，阎慕昭毫不灰心，走门串户劝学。她这种热心为女子办学的精神，感动了乡亲们，不少人把自己的女孩送到学校。1919年，一所女子小学，终于创办起来了。

伏龙泉女子小学建立以后，阎慕昭既当校长，又当教员，废寝忘食地备课、上课。在她的辛勤教育下，学生们的学习成绩很好，得到了家长的信任与支持。阎慕昭创办女子小学的消息，很快地传遍了全县。1923年，县里正式承认这所小学为公办小学，改名为农安县立第二女子小学校。后来，教师学生年年增多，她更是辛勤地工作。每星期担任二、三十节课，仍然“劳怨不辞”。为了改变男女分别建校的现状，她又提出男女生同校的主张，受到群众的欢迎。阎慕昭的办学事迹，受到省县的多次表彰和奖励。

“九一八”事变前夕，伏龙泉周围土匪四起。绅商在镇的四周筑墙挖壕防匪，第二女子小学被划到外面，学生不敢上学。阎慕昭便带领全校师生，昼夜赶修第二道壕沟。乡亲们见此情景，纷纷出钱出工，帮助学校把防匪壕沟挖成，学生得以安心上课。

东北沦陷以后，阎慕昭反对日本侵略者的奴化教育，毅然辞职回家。日本视学官妄想利用她的声望，逼她继续担任校长。阎慕昭大义凛然，绝不应允。为了表示和日本侵略者彻底决裂，她沉痛地离开了伏龙泉家乡，离开了自己创办的女子小学，到长春市般若寺落发出家，表现出崇高的民族气节。

各放光明照大千

萧　华

周恩来与王朴山是中学时代的同学，由于共同的理想和相投的志趣，使他们很快成为好朋友。在南开学校为期四年的学习生活中，他们晨夕相伴，结下了终生不渝的友谊，留下了许多动人的友情故事。

一、周恩来亲题《切磋集》

王朴山(1895—1930),吉林省榆树县黑林镇王家沟人。出生于书香门第,为吉林名流王少石四子。他“幼承家学,恭诚明敏,待人宽厚和钟尚气节,并擅长诗文”。1917年南开学校毕业后留学日本,1924年于早稻田大学法科毕业后归国。他虽然只活了三十四岁,但留下了很多诗文。现在搜集到他的《切磋集》、《消病集》等六个诗集,五百余首诗文。其中,《切磋集》中的五十余首诗文,为1913年至1917年间在南开学校时,王朴山与其师友的作品。留学时王朴山将其携带到日本,周恩来见后在此诗集前亲题了《切磋集》题记。全文为:

> 朴山东来后三日,余亦追踪至异域。晤故人,诚乐事也!偶造其寓,翻阅书箧,得是册。中汇录师友切磋语最多,因取斯二字题其前,寄同情耳,匪敢谓得当其称也。中华民国六年九月下浣翔宇周恩来题。

这八十一个遒劲的毛笔字,仿佛镌刻般地镶嵌在墨绿色绢面、小巧精美纪念册洁白的扉页上。

王朴山于1917年下旬东渡日本留学,下榻在东京神田区风光馆一个货间内,周恩来比他晚三天到达日本。因考虑周恩来的社会活动多,“朴山特将大屋腾出来给翔宇”,在此,他们砥砺切磋,共同度过了一段美好而幸福的时光。当时周恩来的家境困难，王朴山经常接济和资助他，而比朴山小两岁的周恩来，却如兄长般地关心体弱多病的王朴山。从1913年至1919年的七年中，王朴山五卧病榻，思想苦闷，周恩来鼓励他振作精神，特地为他买了一口健身宝剑相送，教他晨曦练武。朴山非常感激好友翔宇的关切，为表达自己习武练身的决心和回敬挚友的情谊，特书《练身》绝句二首：

从来事业须精神，百炼当成铁石身。
旋转乾坤新世纪，中原日日待斯人。

余今既已有斯身，且拼斯身作个人。
水有源头木有本，何当努力养精神。

他们非常喜欢日本的乡间美景，功课之余，一起游琵琶湖，登富士山，去伊香堡和伽马河，临上野公园，接受大自然的陶冶。

回忆在南开学校风华正茂的学生时代，入学时周恩来十五岁，王朴山十七岁，他们不仅德才出众，而且喜善交游，对公益事业和朋友之事无不尽心，很快周恩来、王朴山、常醒亚成为同声相呼的挚友。就在他们去日本留学的那一年，周恩来书赠王朴山一气吞山河的佳句："浮舟沧海，立马昆仑。"留学期间，他们还留下了珍贵的联句："共扶元气回阳九，各放光明照大千"，相互切磋勉励。

二、昧爽联句

在日本留学时，周恩来与王朴山曾以居室为“残夜舍”寄诸吟咏，坚信中国的曙光即将到来。他们曾以“昧爽”一词为共同的笔名，在一把精美的纸折扇上，写下了珍贵的联句，上句为周吟，下句为王联，诗云：

华年惜绿鬓，午夜啸青锋。
学道雄心淡，观时热血浓。
无成惭画虎，有待爱潜龙。
诗思飞何处，云山几万重。

当时正逢中日要签订“中日共同防敌军事协定”，身居异国他乡的中国留学生，精诚团结，肝胆相照，积极组织“留日学生救国团”。周恩来以“风雪残留犹未尽，一轮红日已东升”的心情，与王朴山联合留日中国学生王希天、龚德伯、王大德、施大雄等人奔走抗议。他们先在神田区中华青年会抗议日本平坂警察局长辱我中华，又在神田区源顺馆召开“拒约”会议，遭到日警镇压。尔后，留学生纷纷罢课归国，到北京、上海、天津，举行中国学运史上破天荒的请愿大示威，其规模之大，可谓“五四”运动的先声。

三、互赠篆章

1918年底，病体初愈的王朴山，怀着“不重千金体，空怀万里心……愿得回天力，归来挽陆沉”的雄心壮志，再度乘槎东渡日本。

到东京后，王朴山见到好友周恩来，他们共同住在神田区三崎町南开同学寄宿的一个小楼上。久别重逢，分外亲热。1 月 8 日，周恩来过生日那天，王朴山特地送给他一枚定制的精美的紫铜篆章，印文是“稟权压福”四个字，印纽雕的是一只姿态优美而精巧的小狗，因为在十二属相中周恩来属狗。1 月 28 日，在王朴山过生日时，周恩来亦特地赠给他一枚精制的黄铜篆章，镌刻着“春日载阳”四个字，印纽是一群精美的羊，几只姿态各异的小羊簇拥着一只大羊，非常壮观，因为在十二属相中王朴山属羊。

李光汉先生轶闻四则

鲁　仁

李光汉先生，著名爱国教育家。吉林省榆树县人，光绪十六年(1890)生。早年就读吉林省一中、天津南开学校和北京大学。为实现教育救国大志，1917 年，他联络师友同乡，在吉林省城发起成立吉林私立毓文中学，并在该校执教和担任校长。毓文中学在当时很有特色，是全省进步文化的中心，宣传马克思列宁主义的阵地。朝鲜人民的伟大领袖金日成主席青年时代曾在这里读过书。因此，毓文当年被誉为“小南开”，不仅名扬关外，而且蜚声华北。“九一八”事变后，为

赶走日本帝国主义,李光汉先生秘密组织"吉林省反满抗日救国会",并担任该会会长。1935年被敌人逮捕,1936年死于狱中,毓文中学随之被查封。周恩来总理生前关怀李光汉先生,在20世纪50年代来吉林考察时,曾询问过他一家的情况。

实践南开模式

光汉先生在毓文执教和担任校长时,坚持学习南开办学经验。比如:革新教学内容,提倡讲义自编。他教国文时,在讲义里经常选李大钊、鲁迅、高尔基等人作品。他注意培养学生观察思考能力。如一次他把省议会一枚证章拿给几个学生传看,之后他用手把证章捂起来问他们:"这上有几条龙?"有的学生说一条,有的说两条、三条,这时他把手挪开,叫学生再仔细看看,原来证章上一条龙也没有。学生都笑了,而他却严肃地说:"不注意仔细观察,只能人云亦云、随波逐流。世界这么复杂,不独立思考,将来怎么能担当起救国重任?"

提倡新文化

文言与白话之争,20世纪20年代在吉林也很尖锐。当时李光汉和张云责等是提倡新文学,推广白话文的著名新派。经过一场激烈斗争,毓文开了男女合班、男校也用女教师的先例。《孔雀东南飞》、《可怜无定河边骨》、《洋车夫的婚礼》等具有反封建内容的新剧，这时也无阻拦的搬上舞台。为了揭露封建统治者的昏庸腐败，宣传新思想，在他们的倡导下，毓文图书馆从关内购进的进步书刊颇多。如鲁迅、李大钊、陈独秀等的作品，刊物有《新青年》、《新潮》、《北京晨报》(副刊)等。师生思想活跃，爱国热情高涨，爱国活动时有发生。不少活动李光汉先生带头参加。比如为反对北洋军阀政府在巴黎和会上签字，响应京津学生号召，他带领学生走上街头，撒传单、贴标语，一天到晚不停地进行街头讲演，学生看了很感动。

延揽天下名师

李光汉先生主持毓文工作时，毓文迅速进入全盛时期。有初中班，还有高中班，学生由四五百人发展到一千二百多人，教师由七八位到四十多位。为实施教育救国主张，他延揽天下名师。继马骏之后，楚图南、尚钺、杨定一也来到毓文；随之，中共党员和进步青年郭乃岑、李梦龄、万九河等也陆续来到毓文。这些地下党同志以教书职业为掩护，宣传马克思列宁主义。

“九一八”事变前，毓文中学的进步力量一直占了上风。原全国人大副委员长楚图南同志曾回忆说：“我去吉林毓文中学时，校长是李光汉，他是个爱国进步的同志……他们掩护我们许多同志工作。”

保护青年学生

毓文名气大，慕名而来的学生很多，有本省的也有外省的。毓文校内外设多处宿舍。每当隆冬到来，李光汉先生怕学生冻着，经常去宿舍为学生烧炕。怕学生吃不好，还常常下厨房。一次学生要求不吃韭菜汤而厨房偏偏做了，学生赌气光吃饭不喝汤，他闻后非常着急，一个班一个班去看望学生，征求意见。星期节日，怕学生想家，他去班级下宿舍，和学生一起谈天说地，评古论今。学生被他一片赤诚所感染，亲昵地称他为“老抱子”(抱窝的老母鸡)。一次，有几个学习好的学生，在课堂上把一个学识肤浅的老师问得张口结舌。下课后，这个老师气势汹汹地找李光汉校长，说学生对他大不敬，要求学校处分学生，维护教师尊严。听后，他严肃地说，学生提问是学习认真的表现，教师应当提倡鼓励。因此，这几个学生非但不能处分，反而应该表扬。这一番话，把这个告状的老师批评得目瞪口呆，无言以对。对冒犯当局，给学校捅了“漏子”，上级指名要除名的学生，他就为学生打掩护，表面挂牌开除，暗中仍留校学习。对无法掩护的，他就介绍到其他学校上学。此外，他还想方设法保护从事地下革命活动的学生。如金日成在毓文读书时，经常秘密聚会，后被日特觉察。当日本领事馆第一次派人到毓文探听时，李光汉矢口否认有此学生，第二次又来并声言已调查清楚时，他

一边表示要下班查询，一边暗中帮助金日成翻越学校后墙逃走。

吉林新文化的传播者
——张云责

萧　华

张云责，名清岱，吉林榆树县人。早年就读南开学校，尔后入北京高师，深受蔡元培“兼容并包”思想影响，与李大钊交往甚密。他毕业后回吉林任省教育厅视学，凭同教育厅长于幕忱的师生之谊，积极参与1917年吉林私立毓文中学的筹建工作，兼任教导主任，执教国文。他协助校长韩梓飏经营该校，极力聘请具有新思想的教师，是“达材成德”办学思想的积极推行者。张云责亲创《毓文周刊》，题刊头、任主笔，他拟以学校为阵地，教书育人、传播新文化。他那“漫天遍撒自由种，化作春泥更护花”、“生平第一快乐事，雪夜闭门读禁书”的思想，深深地影响着毓文的师生。张云责精明强悍，思想进步，擅长写作。他文笔犀利，入木三分，抨击邪恶不留情面，常常引起敌对势力的恐惧。他发刊的《春鸟秋虫》周刊，以春鸟秋虫感时而鸣，猛力地抨击旧势力，惹恼了地方官绅，群起而攻之，上告到

省长，要求吊销张云责高校文凭，罢除职务，驱逐出吉林省境，这便是轰动一时的《春鸟秋虫》案。为了保存毓文中学，后来，张云责接受罚款而了事。

1921年，张云责感到学校教育面太窄，便接受了霍战一的邀请，到《大东日报》任主编，从事社会教育。他以该报为阵地，大张旗鼓地宣传新思想，传播马列主义、新文化，曾发《列宁专刊》。后来，他仍感到社会教育亦不能改变中国的现状，便“翩翩入室，参与密务”，到东北军内作了张学良的贴身秘书。“九一八”事变前，被军阀石友三活埋在石家庄，壮烈牺牲。遗著有《大胆》，是《大东日报》同人为纪念他离开《大东日报》社而收集他的部分文章所编的专集。

郭沫若在毓文中学做客

廖维宇

1921年4—6月间，吉林毓文中学教务主任、国文教师张云责接待了一位豪爽洒脱、气宇轩昂的朋友。两人登北山，游龙潭，饱览吉林风光；谈古说今，评诗论文，忧国忧民，针砭时弊。有一天，韩梓飏校长去找张云责商量事情，走进宿舍一看，张云责正和这位客人高谈阔论，笑语风生。经张云责介绍，韩校长才知道来客是郭沫若先生。韩校长久慕郭沫若的大名，大有相见恨晚之意，于是三人便畅谈起来。

郭沫若为什么来吉林毓文中学张云责处做客呢?一是为了暂避风险，二是为了和友人探讨救国救民之策。1919年“五四”运动的爆发，给在日本留学的爱国青年郭沫若以极大的鼓舞。1921年4月，郭沫若怀着极其兴奋的心情回国，渴望投入祖国的怀抱。他在上海看到的却是满街狼犬，遍地腥风。因此，他在上海没敢久留，悄悄地来到了吉林毓文中学张云责处。

郭沫若的到来，使张云责异常高兴。他们倾心长谈，共同探讨中国的命运、前途，新文学运动的方向等重大问题。他们一致认为：中国必须走俄国十月革命的道路，唤醒民众，彻底推翻旧中国。他们讴歌列宁的丰功伟绩，认为列宁“与世界人类有绝大关系。绝非一乡之士，一国之伟人所可等量齐观”。他们认为：唤醒民众是新文学的主要任务。新文学运动是革命运动的一支新军，它不能孤立地分散战斗，要组织起来，真正发挥文学这支新军的作用。

韩梓飏校长经过几次和郭沫若先生畅谈，深深敬佩他学识渊博，见地深远。于是，邀请他与毓文全校师生相见，并作了“发扬五四精神”的讲话。郭沫若鼓励毓文师生要发扬五四时期的爱国精神，做拯救民族、改造中国的先锋。当时正赶上有一位国文教师因事请假，韩校长就请郭沫若先生给代了几节国文课。讲的课是司马迁的《报任少卿书》，他把司马迁蒙垢受辱，发愤著书的悲愤心情，讲得绘声绘色，情真意切，生动感人，给学生留下了极其深刻的印象。为了进一步促进吉林新文学运动发展，经张云责的介绍，郭沫若会见了吉林从事新文学运动的一些先进人物，谈了自己对新文学运动的看法和准备成立文学团体的打算，给大家很大鼓舞。

郭沫若在吉林毓文中学做客二十多天，他的言行不仅给毓文中学师生留下了深刻的印象，也对吉林新文学运动的发展产生了深刻的影响。郭沫若到日本后，于1921年7月同郁达夫、成仿吾等人成立了文学团体创造社。张云责也经过一段时间的酝酿，于1922年春与徐玉诺、穆木天、沈立峰等人创办了《吻爽》月刊，开辟了吉林的新文坛。

尚钺在吉林任教

廖维宇　贾成森

尚钺同志，1902年生于河南省罗山县。他毕业于北京大学英国文学系，是我国著名的马克思主义历史学家。

尚钺同志青年时代受“五四”运动和马列主义的影响，走上了革命的道路，曾追随鲁迅先生从事进步的文学活动。1927年加入中国共产党，曾在杨靖宇的领导下任过第六支队长，在河南省罗山县当过支队长，还任过豫南特委宣传鼓动部主任。因带领群众打死一个不法地主，在罗山县被捕。保释出狱后，在杭州养病，由于有人告密，在杭州又一次被捕，最后由当年老师鲁迅出面保出监外就医。1929 年 1 月，经楚图南同志介绍，尚钺同志来到吉林毓文中学任国语教师，化名谢潘，字仲伍。这时，朝鲜人民的伟大领袖金日成同志在毓文中学读书，尚钺同志正好是金日成所在的二年乙班的级主任，二人结下了深厚的师生情谊，金日成主席十分尊重尚钺同志，称他为“马列主义启蒙教师”。

尚钺同志在毓文期间，积极宣传马列主义，他把进步学生组织起来，成立了青年“读书会”，向他们介绍一些鲁迅、高尔基的作品，介绍一些马列主义的理论书籍，同时，还领导学生同校内披着教师外衣的国民党特务分子进行了巧妙的斗争。当时校内一个姓冯的教员搞反共宣传。有一次，他讲的英语课学生没听懂，课后他们去请教尚钺，经过尚钺同志指点后，他们很受启发。第二天姓冯的一上课，学生们就轮番提出疑问，问得他张口结舌，满头大汗。学生一看原来这是个不学无术的坏家伙，来校别有用心，于是大伙一串连，就把他轰出了学校。

1929 年秋，尚钺同志离开了吉林，不久调到满洲省委担任秘书长。

徐玉诺、萧军与《野草》

萧 华

萧军是东北著名的现代作家,《野草》是大文学家鲁迅的散文诗集,这是众所周知的,而萧军与《野草》之间有着一段机缘确是鲜为人知的。

1927年,十八岁的萧军在吉林市巴尔虎屯张作相骑兵队中当兵。青年时代的萧军喜文好武,爱读武侠小说,酷爱古典文学作品,他经常节衣缩食地花钱买古书看,舞文弄墨,习书古文。深秋的一个休息日,他来到吉林市内,因多喝了几杯,便躺在江南公园的长椅上晕晕昏昏地睡着了。一觉醒来,他发现一位头发花白的中年人坐在长椅的另一端,手中拿着两本书,其中一本是《野草》。从此,萧军知道了《野草》,知道了鲁迅,接受了白话文。

这位把《野草》介绍给萧军的中年人,便是中国现代文学史上著名的飘泊诗人徐玉诺。徐玉诺是河南鲁山人,早年接受《新青年》影响,1921年开始写白话诗文,震动诗坛。后来为了教书育人,他两度来吉林私立毓文中学,任该校的国文教员。徐玉诺在讲堂上讲鲁迅、高尔基等人的著作,课外辅导"白杨社"等一批有为文学青年。萧军有幸与徐玉诺相识，接受他的辅导。萧军从徐玉诺老师那里第一次接触了鲁迅作品，对他的一生产生了巨大的影响，他后来回忆说："我是读了《野草》后才开始用白话文写作的。"

女书法家刘义贞

杨蔚宾

民国期间，吉林农安县内出现一个著名的刘姓书画世家。祖孙三代，人人能书善画。商店的牌匾，祠堂庙宇的碑文，士绅家中的条幅和水墨画，多出自他们的手笔。刘氏家族的书画作品，在农安文化发展史上，具有一定地位和影响。其中书法造诣较高的是刘义贞。

刘义贞的父亲刘佩文，是东北著名的书法家。刘义贞在父亲的熏陶下，从小酷爱书法，立志要做一个出类拔萃的书法家。她天天在书房里磨墨濡笔，临摹名帖，精心揣摩，提高书法技能技巧。她的童年和青年岁月，就是在这种勤学苦练，自强不息的生活中度过的。成年以后，她已经精通各种书体，楷书、草书、隶书、篆书都达到很高的水平，形成了她自己特有的艺术风格，成为远近闻名的女书法家。

刘义贞不但在书法艺术上有着较高的成就，而且思想进步，非常关心和同情广大群众的

生活疾苦。1929年,她随着父亲到黑龙江省齐齐哈尔市,在一所职业中学当中文教师。不久,当地发生了严重的灾荒,很多劳苦民众,缺吃少穿,挣扎在死亡线上。刘义贞目睹这些惨状,心里非常难过。为了赈济灾荒,她精心写了一本《刘义贞女士助赈字册》,石印出版,分发全国各地,募捐救灾。她的举动受到许多社会名流的赏识。著名教育家蔡元培等人都在助赈字册上签名题词赞助,并对刘义贞的书法艺术给予很高的评价,称赞她的字“笔势雄伟”、“满纸云烟”。刘义贞的墨迹和名字,传遍了全国各地。

“九一八”事变以后,刘义贞随父从齐齐哈尔市返回农安县故乡,仍然专心致志精益求精地练习书法。请她写牌匾、碑文的人,日日盈门,应接不暇。县城金刚寺后墙上面保存着“佛光普照”四个大字,字字刚健有力,精彩有神,就是女书法家刘义贞为我们留下来的书法艺术财富。

民族喉舌——《民声报》

郭三溧　姜治铭

1907年,日本帝国主义以“保护朝鲜人民生命财产”为借口,派军强驻龙井村,并设立了“朝鲜统监府临时间岛派出所”。1909年日本胁迫清政府签订“间岛协约”后,在龙井设了间岛总领事馆。不屈不挠的延边人民，以各种形式展开反日斗争，沉重打击了日本侵略者。在这反日斗争日益高涨之际，早年从事排日教育和文化启蒙活动的和龙县教育局局长关俊彦，联合延边各县教育界、工商界人士，于1927年在龙井创办了延边第一份进步报纸《民声报》，关俊彦任社长。1928年2月，乘《民声报》招聘编辑之际，中共满洲省委派遣中共党员周东郊，以《民声报》文艺编辑的合法身份，秘密进行党组织筹建工作，建立了延边第一个中共党组织——龙井村支部。

《民声报》为日刊，分朝、汉两种文字，共四个版面。第一版为国际要闻；第二版为国内电讯；第三版为地方新闻；第四版为文艺副刊，日发行量达二千份。其办报宗旨是："外拒敌寇，内挞奸反"。人民大众称其为"民族喉舌"；日本帝国主义和汉奸走狗则视其为眼中钉、肉中刺。

1931年"九一八"事变后，《民声报》被迫停刊。社长关俊彦在《民声报》停刊词中写道："……同人等明知覆巢之下势无完卵，然仍与敌抗争，坚持数月，其间拼却敌人种种威胁利诱。同人等志在宁为玉碎，不求瓦全，决不甘心俯首事敌也。"

解放初，关俊彦曾任吉林省副省长兼省文史研究馆第一任馆长。

敲钟问耻

杨荫轩

民国十九年(1930),四洮铁路局建立的四平街扶轮小学的一些教师，经常在办公室里私下议论国家大事。当时的反动政府是不允许老百姓议论国家大事的。特别是不允许议论如何唤起学生的觉醒,激起爱国热忱,以抗击日本帝国主义侵略。

在众说纷纭中，有一位教师灵机一动,提出:在中国历史上有“暮鼓晨钟”的典故。我们利用“朝会”时敲钟的办法,唤起师生的斗志,起到催人醒悟的作用。大家听了一致赞同,于是决定发动师生进行集资铸钟的义举。事情传出之后,全校师生无不响应,纷纷解囊相助。终于铸成高四十厘米、钟口与面盆相似的铁钟,钟顶端铸一个铁环,环上拴个击钟的木锤,锤子把上系着一块红绸子,大家给这座钟起个名字叫“耻钟”,挂在操场讲台后边一个木制的三角架上。从“耻钟”铸成之日起,扶轮小学每天“朝会”便多了一项内容,学生们排列整齐的队伍巍然肃立,体育教师刘兆斌指令学生尚久红开始敲钟问耻。每敲三下问一句,敲九下问三句。尚久红击钟三下一问:“二十一条是不是最大的国耻?”学生回答:“是”;二问:“二十一条是什么条约?”齐答:“卖国条约”;三问:“怎样洗刷国耻?”齐答:“取消不平等条约,爱国、救国、强国是我们的终身义务。”这三句问答虽是套语,每次“朝会”还可以灵活运用。

三击晨钟,的确唤起师生们进一步的觉悟,当时全校师生爱国情绪高涨,人心振奋。不久,不幸的事件发生了。“九一八”事变后,1932 年 3 月中旬一天晚八时左右,有六名日本宪兵突然闯入教师宿舍,枪口指向人身,喝令勿动,怒目环视室内各个角落,大肆搜查。发现刘兆斌老师有一册《童子军讲义》,其中一部分内容记述日寇侵华阴谋和侵华具体事实,以及侵华条约,刘遂被捕。刘老师被捕以后,在审讯中大义凛然,威武不屈。虽被打得皮开肉绽,终不供任何人。后经扶轮校长、学生家长多方营救,方获假释,使这次斗争化险为夷。学校恢复了正常上课。

王庆淮拒不事敌

张振文

著名国画家王庆淮 (1909—1979), 自幼习画,先后就学于奉天省美术学校、北平京华美专国画系和国立北平大学艺术学院国画系, 专攻山水花鸟,兼习人物。学习期间,深得齐白石、王梦白、陈半丁等名家之真传，也曾得到徐悲鸿之启迪；1933 年还被吸收为北京中国画研究会的会员。1935 年大学毕业时，已是对国画有一定造诣的画家了。

他身怀绝技，心爱祖国。当他回到已沦为日本帝国主义殖民地的扶余县时，看到的是侵略者的横行霸道、汉奸走狗们的鱼肉乡里，这一切激起了他强烈的民族仇恨，于是毅然到三岔河镇过起了隐居生活。日本人得知他很有绘画才能，曾多次到家相“请”，要他出来做事，都被他婉言推诿，托故不仕。因长期没有经济来源，生活十分贫困。尽管如此，他宁可卖画为生，也拒不事敌。伪扶余县长杨桂滋和三岔河伪警察署长为了表示风雅，很想要王庆淮为之作画，并多次派人索取。他却佯装有病，终不为画，表现了我行我素、决不与汉奸为伍的高尚气节，因此激怒了日伪统治者，王庆淮的名字竟上了三岔河伪警察署特务系的“黑名单”，被列为“反满抗日分子”。幸亏在中国共产党领导下的抗日战争取得了最后胜利，才免除了被捕入狱之灾。

长白山人参文化的由来

孙 践

人参家族在中国，分为两大系：一是太行山

的上党参，一是长白山的辽东参。苏东坡之《参赞》有“上党天下脊，辽东真井底”品参之句。古时上党参经历了它的黄金时代，至宋代已濒临采绝，中原朝野掉头东向，于“宁江榷场，以人参为市”，辽东参遂声名大噪，而名扬于天下。

人参与人类社会结缘，是从药用开始。从天然山参到家植园参的历史演变过程中，经海内外医药学家临床实验，确证辽东参根红透明，药力深透，是“中国金子般的根”、“奥秘的神药”。由是文士墨客为之动情，挥毫泼墨；采参万众为之倾心，寄托于口头文学创作。于是，为辽东参蒙上了一层神秘的色彩，即谓之人参文化现象。

辽东参至南朝时才登上药典《本草经集注》，列为上品。虽晚于上党参七百年始入本草，但不失之为出土明珠，光照人寰。渤海国将其作为“朝贡中国”、“交聘日本”之高贵方物。《渤海国记》留有编年记述。明清以来，各代皇帝莫不躬亲参务，钦定贡额，派遣大员监督，郑重其事，以求长生不老。其历史陈迹，广见于《明实录》、《清实录》、《清会典》、《东华录》、《柳边纪略》、《扈从东巡日录》、《盛京通志》、《宁古塔纪事》等史籍、文献。

清代对人参的关禁、边禁极严，参案处刑甚酷，只允进献帝王宫，不准流入寻常百姓家。史学家杨宾的《宁古塔杂诗》有云：“土产参为最，今时贡帝京……人形品绝贵，闻说可长生。”文学家王雪庵的《人参》诗则倾向鲜明，云：“将军选绝品，封题驰贡表，上献蓬莱宫，天子长寿考……野多黄须翁，室有白头媪……扶衰需上药，艰难入关道。”两相对照，具有人民性。

在民间入山采参的狂热浪潮，促使人参口头文学的繁衍，有众多人参歌谣、故事应运而生。有放山历险奇遇故事，人参精灵怪异传说，还有少年清太祖《小罕子挖参》创大业故事，汉民闯关东寻宝葬身的《老把头传说》，都寄托着放山人对未来命运的祈愿和人生幸福的追求。

自五星红旗升起于东方，长白山人参形成了产业，而形影不离的人参文化，也随之拓宽了领域。继东北第一部民间人参文学集成《长白山人参故事》后，《参花》、《人参女》等都借助于民间文学这把钥匙，启开众多艺术殿堂之门，跻身于书林、刊海、舞台、银幕、荧屏，深为各界喜闻乐见。使长白山人参登上了中国人参文化之大宝，与中国酒文化、茶文化比翼齐飞。

引见封侯

孙晓野

画十二属相，无论是明的或暗的，都是画十二个不可或缺不可或乱的动物。若是两张连用构成一语者，自当别论。

余家旧藏沈南苹工笔动物两幅，左幅为老虎饮涧，右幅为猴子捅马蜂窝，两幅对列，俨若门神，沈铨南苹两套印章亦连植于左右幅山石之上。

清朝制度，京官五品以下，外官四品以下，授官时文官由吏部，武官由兵部带领朝见皇帝。此画名“引见封侯”，老虎饮涧暗喻“引见”二字，猴探蜂巢，暗喻“封侯”二字，两幅合观，正是“引见封侯”四字。今人视此，漠然不解，此无他故，缘封建帝王离今越来越远，当时制度已经无存，所以仅知有十二属相，而不知引喻其他事情。

商衍鎏弟兄合作楹帖

谭彦翘

商衍鎏字藻亭，广东番禺人，生于晚清，为光绪甲辰科，也是清代最末一科的探花。他于民国三十一年(1942)春集宋代诗人陆游诗句为联，文曰：

闲知造物功，人情万变吾何预；

老抱忧时志，广武千年恨未平。

借放翁的诗，抒发他年老忧时之思，并用秦末楚汉两军隔广武而阵，刘邦、项羽相与临广武而语的典故，表述弟兄南北阻隔不得相晤，眼看破碎的锦绣山河而空抱未平之恨，和感叹人情多变又岂能顾及得了的情怀。

其兄商衍瀛为光绪癸卯科翰林，时在长春，

得此联，以楷书写成八尺楹帖，赠给友人。是年他已七十二岁，年逾古稀的老人写端正的大字，用欧褚之法，具薛柳之髓，笔酣墨饱，气势联贯，韵味醇厚，足见精神。可谓“人书俱老”，已入通会之境。闻商氏平时多作小行书，大楷书则极少见，此又为难得者也。

吉林医坛泰斗王仙舟

涂铁汉

王仙舟(1878—1962)，学名守仁，号济生。是民国年间至解放后吉林著名医学家，知名爱国人士，声誉遍及东北诸省，各界称他为“吉林医坛泰斗”。

清光绪四年(1878)农历三月十七日，王仙舟生于吉林城北郊安达木屯。祖籍世代为农，家境贫寒。父厚福，子女有七，终生艰辛劳动。先生自幼聪敏，九岁入村塾，读书颖悟。得姑母资助，七载寒窗，十七岁矢志务医。遂求人入吉林城头道码头“大生堂”药铺拜名医李生堂为师。以《医学三字经》为启蒙，继之《雷公药性赋》等。勤奋刻苦，日习夜诵，数年，娴熟《本草备要》、《医宗金鉴》等医籍。光绪二十五年(1899)三载满徒，二十一岁。时因业师年迈，遂于“大生堂”继师悬壶执业。次年吉林城大火，灾民遍野，后数月，时疫流行。先生出于医乃仁术，自制“除瘟丹”、“救急丸”等成药数十料；日夜免费施治，名声初露城乡。

光绪三十四年(1908)他入吉林官医院附设“医学研学会”深造，拜名医焦和(字景春)为师。民国元年(1912)，原“大生堂”迁西大街，改称“达德升”。他信守医教，审证入微，方药灵验，声誉日噪。城乡平民、官绅富户求医者，门庭若市。如：民国九年(1920)吉林督军鲍贵卿之子，因吸鸦片成疾，久医无效，经其治愈，声名大振。鲍数次重金邀聘，委任督军府医官，均被先生婉言谢却。有一重病患者求遍诸医均无效，独王老手到病除，遂送“吉林一鹤”匾以志谢，意谓王老医道高超，在吉林是鹤立鸡群。

王行医首重医德，常谓：“医乃仁之术，人命不分贵贱，施诊莫择贫富。富贵者莫以参茸为丸，贫困者莫以竹茹为饮，贫富皆为一等，高低无二药。”此亦为“达德升”药铺经营之本。凡采购或自配中成药，讲究货真价实，童叟无欺。并经常告诫弟子谓：“医者仁义，切莫贪图暴利，制药虽无人见，心纯只有天知。”

王主张施诊应因人、因病、因时、因地制宜，强调内因所在，权衡轻重缓急，因势利导，选方用药不偏不倚恰中病机；主张分清虚实，兼顾标本，攻补灵活，进退有序，则药到病除。他擅治内、妇、儿科诸症。治伤寒病以六经祛邪为法，治温热病以卫气营血养阴生津为主，治内科病以健胃扶脾为要，治妇科病以调冲任舒肝理气为

宜，治儿科病以镇惊消导化积为纲，顺应病势，疗效灵验。

王终生培育门人，耳提面命，训勉备至，呕心沥血，诲人不倦。弟子四十有余，遍及省内外，桃李成阴。如高徒迟德升、李日新、王喜天、陈玉峰、徐宏时、高月如、关蓬阁、邓维滨、刘文秀、胡永盛、陈志忠等均为当代吉林名医。王为人慈善谦和，禀性宽宏大度，怨亲善友一律平等，有长者之风。医界尊谓“一代宗师”。王子女各二，惟长女健男继父业，长孙志敏、长孙女志华继祖业。

“世一堂”祖地

陈文辉

全国叫“世一堂”药店的一共有十四家。而吉林的“世一堂”则为全国第一家，是全国“世一堂”药店的总店。

世一堂店始建于清道光七年(1827)，创始人是居住在吉林的前清举人张樽、吕国兴和一位姓武的。由于经营得法，买卖兴隆，不仅在吉林声誉很高，而且迅速在全国各地建立起一批“世一堂”分店，在日本大阪和香港分别设立了办事处。“世一堂”的名牌产品鹿角胶，1915 年曾经运往美国巴拿马赛会展览；“世一堂”产的爱国神丹、熊油虎骨膏，于1916年送呈中华民国农商部国货展览会展出，获得三等奖。

那时，吉林“世一堂”和遍布全国各地的“世一堂”，始终坚持前店后厂，保证货真、价实、质好，因而信誉日增。

“世一堂”在经营管理上有其独特之处。为了保持药店的名誉，他们制定了很多清规戒律，去约束店员伙计，如不准赌博，不准逛妓院，不准吸鸦片毒品，不准偷摸，不准入会道门等等。店员伙计如有违反，轻则受到训斥，重则解雇回家。“世一堂”的财务管理也很严谨，他们始终靠信誉发家，从不发黑财。“世一堂”的用工制度也很严格，新伙计经人介绍来店，必须有保人，表现不好的，违反店规或不服从调动的，随时都可能被解雇。原哈尔滨道外“世一堂”一位经理，总店调他到吉林“世一堂”当经理，可是经过三令五申，他就是不来吉林，“世一堂”总管张伯勋就把他辞掉，也不允许继续留在哈尔滨“世一堂”。“世一堂”的工资制度，当时讲现打不赊，干得好就给伙计长钱，干不好就解雇。每年付半年工资，那半年工资等辞退回家时付清，伙计们管它叫护身钱。

日本帝国主义侵略东北以后，“世一堂”开始衰败。关内的药材购不进来，产品运不出去，到日本投降前，“世一堂”仅剩下二百余间房产，只能维持职工吃饭了。1948年吉林解放后，“世一堂”才获得了新生。

我所创办的“希天医院”

孙宗尧 口述　潘启贵　金书勤 整理

我于1923年从日本大学毕业回国来到吉林市，怀着对我的同学和战友、革命烈士王希天极其崇敬和悼念的心情，于1924年4月20日在吉林市尚仪街(后来迁到三道码头)创办了一所具有纪念意义的医院，我把这所医院命名为“希天医院”。

王希天，原名王熙敬，1896年生于长春。1912年我考入吉林省城一中，和王希天是同一年级的同学，他在七班，我在六班。1914年，因为闹学潮，我们六七两班学生都被开除了。当时天津南开学校比较有名，韩梓飏老师是南开学校毕业的，他介绍了南开学校的情况以后，王希天等十几名同学立即转赴天津南开学校继续学习。我家里穷，没有赴津，而考入奉天的南满医学堂。

1919年，我由南满医学堂转入东京的私立日本医科大学学习。1920年，我在东京一所养育院里实习时，也来到日本的王希天为解救华工之苦，把我们一些留日学生召集到一起，商讨解决的办法。他首先在伊藤律师的帮助下，对扣留华工工资的日本资本家工头提起诉讼，找回了被扣留的工资,得到华工的信任和拥护。1922年9月,建立了代表华工利益、为华工谋福利的合法团体——"留日中华劳动同胞共济会",王希天被选为会长,我和王朴山也在里面工作。以后,我们就以共济会的名义解决华工的劳动和生活福利问题,深受华工们的欢迎。

在那些难忘的日子里,我曾和王希天一起到华工中去开展共济会的工作。为了节约时间,王希天经常在电车上用餐,夜里总是坐最后一趟电车回东京。赶到住所时,已深夜十二点了。他不顾自己的病痛,为华工废寝忘食,日夜奔忙,深得华工的拥护和爱戴。由于共济会的影响与日俱增,引起了日本反动当局恐惧与仇恨,日本特高系更是如临大敌,派出特务尾追王希天不放,寻找机会准备下毒手。

1923年9月1日上午十一时五十九分,日本东京发生了大地震,死亡十三万多人,全东京市陷于混乱状态,日本反动当局趁机进行了大搜捕,屠杀进步人士和旅日华工。这时王希天不顾个人安危,进行慰问和救济华工的工作。9月9日早上四点钟,东京交通还未恢复,他不顾同志们的劝阻,只身骑自行车驶向大岛町。一直在跟踪监视王希天的日本特务,认为时机已到,绑架杀害了他。

为了永远纪念王希天烈士,留日中华劳动同胞共济会在东京举行追悼大会,并决定回国后,在北京建立纪念学校,在上海设立纪念图书馆,在华工故乡的温州为王希天建碑,在吉林开办纪念医院。从此我怀着对王希天烈士崇敬的心情，把回国后创办的医院取名为“希天医院”，以表永久纪念。

吉林私立济仁助产学校

杜栗堂　王家凯 口述

金书勤　潘启贵 整理

吉林私立济仁助产学校，在我国东北地区是首创的培养专业助产人员的学校。它是 1928 年 6 月由希天医院院长孙宗尧主持筹备成立的。杜栗堂、王家凯曾先后主持这所学校的工作。

孙宗尧 1923 年由日本医大毕业，回国后住在吉林市。当时吉林省政府曾请他出任卫生科长，他拒绝了官职利禄，为纪念王希天烈士而创办了“希天医院”。

那时帝国主义和封建主义长期残酷的反动统治，使旧中国贫穷落后，医疗卫生事业发展极为缓慢，中国人被称为“东亚病夫”。在希天医院建立以前，整个吉林市几乎没有受过专业训练的从事妇幼保健的工作人员。希天医院在吉林首创新法接生，孙紫书(孙宗尧的妻子藤本玉子)是吉林第一个实行新法接生的产科医生，受到了群众的欢迎。他们怀着一颗报效祖国的心,为繁荣中华民族,保护妇婴健康,推广新法接生,开办私立济仁助产学校,希望通过这所学校培养一批为社会需要,受群众欢迎的助产士或产科医生。同时也为妇女就业开辟了门路。

济仁助产学校从1928年创办到1948年吉林解放的整整二十年中,先后招收了十七期学生,总计有毕业生六百余人。这六百多名毕业生,分布在吉林、辽宁和黑龙江省以及全国各地的卫生战线上。在黑暗的旧社会,她们努力学习,刻苦钻研,用所掌握的医术,为苦难的人民服务,使千百万的母亲和婴儿减少痛苦以至免于死亡,使数不清的劳苦大众从病魔中解脱出来,作出了应有的贡献。

牛子厚创办喜连成科班

牛淑章 口述

周克让　关大虹　李树田 整理

我父亲名秉坤，字子厚，1866年生于吉林，当时正是牛家鼎盛时期，一生经商，也捐个候补知府官衔。

我祖母爱看“驴皮影”，我父亲也好乐，那时吉林交通闭塞，很少有京腔大戏班子来演出。我父亲为办庆祝堂会，再加上对我祖母给以精神安慰，所以在光绪二十七年(1901)通过刘寿清从北京把“四喜班”邀来吉林演出。地点在今天德胜门外蔬菜公司处，当时叫“康乐茶园”。

这次来吉的演员有二簧文武老生叶春善(后来我们结亲，是我姨夫)、姚增禄，武生刘春喜、范福泰，还有秦腔梆子演员十二红、达子红、老十三旦、崔灵芝等人，先付给一个月的包银(戏份钱)。在来吉林途中叶春善受寒患感冒，以致嗓哑不能登台，向我父亲请假，并声明回京后退补包银。而我父亲很关怀他，叫他在吉林养病，待痊愈后再登台。后来嗓子好转，登台演戏。我父亲细心观察，认为叶忠实可靠，向他提议，叫叶创办个“科班”(相当于后来的戏曲学校)，每年在京、吉两地分别演出。这样，既可以解决牛家的“看戏难”，又可以培养出一批新的京剧接班人。并约定由叶负责和总其成，以发挥其所长，由他专门教戏，由我家出钱作班主。

叶春善秉承我父亲的意图，于光绪三十年(1904)十月在北京他家中收了六名徒弟，后来被称为“六大弟子”。这时还没给科班起名。光绪三十一年(1905)，他又招收十几名徒弟，并在邻近租了个小院练功学唱。这年我父亲把北京开粥锅剩余的白银二百八十两拨给科班作开办经费。后来科班在外演戏，有了收入，又把白银存在牛家在北京开的源升庆炉坊(即银号)。根据我父亲的旨意，又多招些徒弟，并租赁了北京市宣武门外前铁厂七号的房屋一所，共计二十间，这时按我父亲的意思，根据我家大哥乳名喜贵、二哥乳名连贵、三哥乳名成贵，正式定为“喜连成科班”。

光绪三十二年(1906)这一年是"喜连成科班"发科的一年,从这年起,每天就固定在北京前门外肉市街广和楼茶园演唱。又招收了带艺入科的学生,而这些学生,后来又都是出类拔萃的名演员,如誉满全球的梅兰芳先生,当时小名叫群子,所以也叫梅喜群,那时才十三岁,后来到十七岁在天津演出唱红了,就出了名,由我崔二叔给改的名叫兰芳。过了一年之后,又招收了麒麟童即周信芳、姚佩兰、小十三旦、水上漂、李春林、贯大元、葫芦红、王灵童、林树森、高百岁等。

民国元年(1912),我父亲因家务纠纷,无法兼顾北京科班。以后,叶春善又经苏雨卿老师介绍,与北京黄寺的外馆财主沈玉昆商量合办科班。是年冬,我父亲也表示同意。后来,我父亲提出,现在已经有了新的股东,应当有所表示,可将喜连成的喜字改为"富"字,事后,征得沈家同意,正式改名为"富连成"。

王金香与杜小楼

涂冬冰

著名评剧艺人王金香与杜小楼,是为人称道的一对志同道合的艺术搭档,又是一对极为忠贞的患难夫妻,在艺坛上留下了动人的佳话。

王金香于1911年生在唐山一个梨园世家，父亲王振铎是警世戏社旦行演员，她从小随父学戏。杜小楼于1912年生在河北顺义一个农家，因家贫十余岁即到北京伯父杜得库(在一个蹦蹦班拉弦)处学戏，拜宋玉瑞为师学西路评剧(时称蹦蹦)。不久因戏班解散到天津谋生，杜小楼进入有名的张家班，改唱东路评剧。这一对十几岁的小孩一块合演《小过年》、《茶瓶计》等开场戏，颇受观众欢迎。一年以后，王金香成了张家班的主演，杜小楼也成了正工小生。高亭唱片公司曾为王金香录制了《王少安赶船》、《黄爱玉上坟》等唱片。1929年他俩先后被邀到大连三庆舞台演出，他俩合作的《杜十娘》，由于表演精彩轰动了大连。后来又陆续演出了《人道》、《啼笑因缘》等时装戏而红极一时。这时王金香与当时的著名女演员筱桂花、筱麻红等齐名，她与筱麻红合演《花为媒》时，观众称赞说："筱麻红唱得好，王金香浪得好。"夸赞王金香表演生动。

由于王金香和杜小楼长期合作演出切磋技艺，逐渐产生了爱情，可王老太太嫌杜小楼穷而不允他俩的婚事。杜小楼一气之下返回天津，为著名演员刘翠霞配戏。王金香一心要嫁给杜小楼，坚决拒绝了许多人的提亲。由于杜小楼一走，失去了她艺术上的最佳搭档，演出受到很大影响，王老太太无法，只好答应二人亲事，并由王振铎亲自赴津接回杜小楼入赘王家。他们的婚事办得好不热闹，再一次轰动了大连。他俩婚后登台，观众更加踊跃。20世纪30年代，他俩曾两次到长春演出，1935年他俩进入了以演京剧为主的长春著名的新民戏院，并与京剧著名红净程永龙轮流唱大轴，他俩主演的《啼笑因缘》、《落霞孤鹜》、《花为媒》等古今评剧拿手戏，受到长春观众的热烈欢迎。之后，他们到哈尔滨华乐舞台演出时，有一个姓郝的大商人看中了王金香的姿色，要以重金娶王金香，并买通王老太太骗女相亲，王金香一怒之下从剧场三楼跳下，多亏下边是烂泥塘，才幸免一死，但大腿骨摔裂致残。王金香抗婚跳楼又成了爆炸性的新闻。

王金香因此落下了残疾，不能再演出她擅长的闺门旦和花旦戏了，就一改戏路唱大青衣。她与杜小楼一起，根据河北梆子和西路评剧的传统戏，增补情节，移植演出了过去东路评剧尚无人演出的《牧羊圈》、《夜宿花亭》和《杨二舍化缘》，称为有名的“新三出”，以后又经别人继续加工，均成为评剧代表性剧目。他俩又参加多次精彩演出，为评剧表演艺术做出了创造性的贡献。后来王金香身体日衰，至1949年初，重病不治，死于熊岳乡下，年仅三十八岁。

杜小楼在解放后改名杜文彬，精心培植他们的养女、王金香的弟子筱王金香继承王金香的表演艺术，并悉心培养了一批评剧新人。

李岱与《评戏大观》

于　敏

李岱，原名李运文，艺名李小舫，是著名的评剧老艺人。建国后，他担任吉林省戏曲学校副校长，兼教小生戏，培养了大批艺术人才。李岱于1924年入警世戏班头班，先是拜金开芳学唱旦行，后背着师傅向张有学习武功，又偷学张执堂、成国祯的表演和唱腔，改唱了小生。在30年代，就以扮相俊美、嗓子好在舞台上唱红过。他潜心编导的评剧《杨乃武与小白菜》、《贫女泪》等，曾以独到创新而饮誉关东大地与京津一带。在近六十年的艺术生涯中，为评剧事业作出了重大的贡献，由他供稿出版的《评戏大观》，也对发展评剧艺术产生过很大的影响。

在旧的评戏班、社中，长期流传着这样一句话："宁给三亩地，不教一出戏。"艺人们为了保住饭碗，把剧本看得比"地文书"还宝贵。正在警世戏班学习的二十岁的李岱对此很不满意，决心改变这种局面，开始下功夫偷抄剧本。当时评剧舞台演出的剧本，绝大部分是成兆才创作的。恰好成此时也在这个戏班里，因此，一有机会他就将剧本借来。成兆才以为不过借去背背自己角色的台词，所以总是借他一个晚上，叮嘱第二天一定返还。李岱一拿到剧本，便凭着小学四年的文化程度和三年学徒练到的读写本领，通宵达旦地将剧本抄写下来。从哈尔滨至长春、铁岭、奉天、安东等一路的演出中，先后抄了《杜十娘》、《珍珠衫》、《女秀才移花接木》、《马寡妇开店》、《占花魁》、《花为媒》等四五十个剧本。此后，他在元顺戏社、复兴戏社时，又搜罗到《爱国桥》、《昭君出塞》等剧本。可以说，当时李岱是评剧界拥有剧本最多的人。

1929年至1930年，李岱随元顺戏社到安东永安舞台演出，经张子明介绍，与诚文信书局经理童绥之结识。童绥之提议将他收藏的剧本编辑出版。早就为普及推广剧目而处心积虑的李岱，认为求之不得，当即慨然应允。于是，共六集的《评戏大观》于1930年在安东问世了。

《评戏大观》的出版，轰动了整个评剧界，人们对此举褒贬不一：有骂李岱"欺师灭祖"的，也有说他是"大逆不道"的，但更多的人是表示欢迎。因为一向秘不外传的剧本，一经用文字公开发表，就为许多愿意学唱评戏的青年提供了"无师自通"的课本，打破了长期以来口传心授的陈规陋习，开创了评剧按本排戏的一代新风，促进了评剧的大普及、大发展。当然，由于本子是急急忙忙偷抄来的，书局为了尽快盈利，又未经认真编辑、校对，疏漏、错误甚至以讹传讹之处在所难免。但瑕不掩瑜，李岱供稿出版《评戏大观》，还是应该肯定的。

麒麟童六下关东

涂冬冰

成名于上海的著名京剧表演艺术家麒麟童(周信芳),曾在清末、民国、日伪和解放后四个时期中,先后六次到东北演出,每次少则数月,多则一两年。这些艺术活动对其艺术实践和麒派艺术在东北的影响,均有不小的作用。

麒麟童首次到关东作艺,是清光绪三十四年(1908),第二次则是1915—1916年。这两次麒麟童尚不是挑梁主演,只是在奉天、营口、大连等地搭班演出,其间还到过海参崴。他只在各场演出中唱第二出戏,而且演出均系京派正工老生戏,如《汾河湾》、《回龙阁》、《逃吴国》、《打登州》等,此时尚未形成麒派风范。

其后,麒麟童又于1924年、1929年和1933年三度至东北演出。此时,麒麟童已是挑梁主演或率团演出,足迹遍及奉天、安东、大连、长春、哈尔滨等各大中城市,演出剧目则全系麒派拿手杰作,影响愈大。1933年9月麒麟童于大连连滨大舞台演出了《节义廉明》、《春风亭》、《新赵五娘》、《宋十回》等,同来的有名丑刘斌昆、著名武生杨瑞亭等,演出颇受欢迎。有人评麒麟童1933年10月28日在长春新京大舞台(新民戏

院一度改此名)演出《汉寿亭侯》说:“麒麟童扮关公,一来装束非凡,二来做工出众,且全出演来无半点忽懈,果真是个中翘楚,伶工领袖。”又说他念白“斩钉截铁,痛快淋漓,且神气激昂,忠耿毕现”,“至亮架(相),抛刀花,勒马式和各种收势,均别具一派风神(韵),观者倾动,彩声欢起”。至1935年3月安东还有人著文说:“名伶麒麟童,前岁冬季曾在本市(安东)附属地永乐舞台奏技匝月,声誉甚佳,顾曲者充分欢迎。”由此可见麒麟童在东北演出受到热烈欢迎之一斑了。

麒麟童最后一次到东北,是1955年“周信芳舞台生活五十周年纪念公演”,率上海京剧院在东北三省巡回演出了《文天祥》、《乌龙院》、《四进士》、《徐策跑城》等麒派代表作,此次同来的有王金璐、赵晓岚、刘斌昆、黄正勤等。

毛世来跻身于“四小名旦”

张振文

1930年,毛世来九岁时,经人介绍入了“富连成科班”,开始了他的戏剧生涯。在十年的坐科学艺中,先是由萧长华侄女萧连芳开蒙小生戏《岳家庄》始,不久经科班的总教习萧长华和王连平考察、鉴别,认为他的自然条件适合学花旦和武旦,于是由萧长华先生教他花旦戏,由王连平教他武旦戏。年仅十几岁的毛世来,刻苦进取,很有长进。由郝喜伦先生指导他练“跷工”时,在板凳上一站就是一两个小时,练打出手踢枪,一气就要踢上几百下。功夫不负苦心人。经过日复一日的磨练,举凡长靠、短打、抢背、摔踝、乌龙绞柱等花旦应有之武技,他无不能之,其跷工更是进退疾徐,姿若凌波。他在恭恭敬敬地向萧老先生学戏的同时,还向人称花旦大王的于连泉(艺名筱翠花)学戏。由于于连泉的真传实授,他的演艺不仅形似,而且神随,因此有“小筱翠花”之雅号。“富连成科班”的学员在经过一段练功学戏之后,还要在广和楼等场所向观众演出。不论他在《樊江关》中饰演的薛金莲,还是在《十三妹》中饰演的何玉凤,以及在其他的大小戏中,都以他那秀丽娟美的扮相,圆润清脆的唱工,悦耳清晰的念白和娴熟细腻的做工,给北京的戏迷们留下极深的印象,特别是他那高超的武工,稳健的跷工,更令观众拍案叫绝。

毛世来十六岁的那年秋天,经常反映戏曲界动态的北京《立言报》,在爱好京剧的大、中学学生和其他观众的要求下,发起了“童伶选举”。根据 1937 年 1 月发表的公开选举结果,与毛世来同科的李世芳得票最多,戴上了“童伶主席”的桂冠,毛世来得票次之,被选为旦角冠军,宋德珠、侯玉兰当选为旦角亚军。因为这次选举范围只限于当时的中华戏曲学校和富连成科班的学生,所以正在走红的张君秋没有参加选举。这时的社会舆论,都认为只有李世芳、张君秋、毛

世来、宋德珠四人能继“四大名旦”之后，堪称“四小名旦”。于是《立言报》又于1940年在长安大戏院举行以上四人联袂合演《白蛇传》。这次演出各展所长，珠联璧合，反响强烈，演出后合影留念，并取得社会公认。就这样，毛世来在即将出科的1940年以他精湛的艺术水平跻身于“四小名旦”之列。在1947年李世芳从上海返京途中由于飞机失事而遇难后，北京《纪事报》又举办了一次新“四小名旦”的选举，曾先后拜师梅兰芳、尚小云、荀慧生、芙蓉草(赵桐珊)的毛世来再次当选，声名更为昭著。

萧军与筱桂花

于　敏

萧军与筱桂花相遇在动荡的1931年。年仅二十四岁的筱桂花，跟随“警世三班”来到哈尔滨平安电影院演出。这期间，她的养家之子辛建侯把在奉天练武相识的一位文学青年邀来戏班住下。这位青年就是二十五岁的萧军，时称刘蔚天。正逢戏院年底封箱，筱桂花要反串演唱《六月雪》，听说萧军的武艺高超，特请他在戏中扮演练武人。萧军当时生活困窘，以出于好奇，便慨然应允同台演出。筱桂花发现有“辽西醉侠”之称的萧军，性格开朗爽快，乐于助人，并常以

“酡颜三郎”的笔名在报纸上发表文章，由此产生了敬慕之情。萧军也了解到十一岁便被卖给辛家的筱桂花，受尽了班主的欺凌，因此，非常同情她。

由于日本帝国主义侵占了东北，社会萧条，戏剧舞台也很不景气。一次，辛家找来一本上海出版的小说《玲珠恨》，请萧军为筱桂花改编成新戏，以解剧场生意不佳的燃眉之急。从未写过剧本的萧军，尽管十分为难，还是答应下来了。他怀着对封建思想的愤恨，一鼓作气地将剧本写成，剧名就叫《马振华哀史》。当筱桂花听萧军谈剧本时，深深为马振华的悲惨遭遇所感动，决心演好“马振华”这个人物，并请萧军一起排练这出戏。在排练中，他们一起切磋剧情和台词，商定唱念和表演。为增加戏剧的“火爆”和悲愤，萧军还同意筱桂花增添的一些唱词。在这出戏里，筱桂花尽情地施展了艺术才华，将月明珠在首演成兆才编写的《悍妇传法》时创造的评剧反调，又向前发展一步，不仅成功地运用了“反调慢板”、“反调眉子”，还创造了“反调留板”，突出了“奉天落子”的粗犷、豪放和激昂的风格，较好地表现了《马振华哀史》的主题思想。该剧在平安电影院首演时，受到观众的满堂喝彩，而且越演越红，后来成为筱桂花经常上演的保留剧目。萧军高度评价筱桂花的艺术天赋，并为她那惊人的记忆力和理解能力所折服。从此，筱桂花与萧军结下了深厚友谊，萧军常为筱桂花的遭遇打抱不平，招来了班主的忌恨，并进行造谣中

伤。萧军一气之下,离开了戏班,于1934年到达上海,在那里得到了鲁迅的教诲与帮助。翌年8月出版了长篇小说《八月的乡村》。萧军从一位普通的文学青年,逐渐成长为饮誉文坛的名人;筱桂花从一个只是在评剧界崭露头角的青年演员,随着《马振华哀史》的演出和她艺术的日趋成熟,而成为"奉天落子"的代表人物、评剧四大名旦之一。

五十年后的1981年6月21日,萧军和女儿萧耘在哈尔滨参加了"萧红诞辰七十周年纪念会"后,专程来四平看望筱桂花。七十三岁的筱桂花,白发苍苍,手拄拐杖,拖着偏瘫的身体,立在四平市宾馆门前迎候萧军。老友相逢,叙不尽的友情。第二天,二位老人应四平市评剧团之邀,观看了根据《马振华哀史》重编的《马振华的新生》的排演。就是这个"马振华",在半个世纪里,连结着老作家与老艺术家之间的饱经沧桑的友情。

天才神童筱柏岩

涂冬冰

1941年9月,以孙柏岩领班的松竹社京戏小科班,从奉天到长春演出,主演为年仅八岁的筱柏岩,使当时颇为消沉的新京梨园掀起一股热潮。最初观众以为仅以“年幼演戏”为号召，待观剧后，即“无不惊其唱作之佳，一时为之轰动。新民戏院门前，每至薄暮，车水马龙拥挤不堪。……”可见当时筱柏岩演出之盛况。

筱柏岩原是怀德县一个池姓穷苦孩子，四岁时由孙柏岩抱养，六岁随养父学戏，七岁即登台作艺，一唱即红。孙柏岩对筱柏岩要求极严，除自教外，更请名师授艺，并招收几十名十一二岁的男女学徒组成了松竹社小科班，边学戏边在开原、沈阳、辽阳、海城、大连、哈尔滨、长春等东北各大中城市演出。这个小科班以筱柏岩为主演，走一处红一处。1943 年 2 月在沈阳演出时，与北京富连成科班打对台，也从未败过。筱柏岩学艺刻苦，练就一身能耐，而且扮相俊美，嗓音洪亮，表演动人，为当时各地誉为“天才神童”。他文武老生、武生各戏演来皆精。在《萧何月下追韩信》、《甘露寺》、《花蝴蝶》等戏中所扮演的人物既十分招人喜爱又颇见功夫。特别是他的猴戏，完全学的是著名赛活猴筱九宵的路子，身穿猴皮，开打火爆，跟头又高又冲，出手敏捷多样，表演幽默风趣，极受欢迎，每演连台本戏《西游记》，连续几十天满员。自 1941 年至 1945 年他多次来长春演出。1946 年加入了有名的四维剧校，成为武生主演，曾演出了田汉的《江汉渔歌》等名剧。1947 年后筱柏岩随四维剧校到北京，拜在京剧艺术家李少春门下深造，改名为孙震霖，开始了他新的艺术生活，成为一位颇有名气的长靠短打武生演员。

“满映”的建立

胡昶

“满映”，全称“株式会社满洲映画协会”，伪满洲国制作影片和经营影片发行的专业公司。电影本来属于文化范畴，但“满映”的建立却是由日本关东军和伪满警察部门策划建立起来的。

1935年5月，日本关东军参谋小林少佐最早提出建立伪满洲国“国营”电影机构，立即得到关东军和伪满警察当局的支持。8月28日伪满国务院总务厅情报处召开了一次研究电影的会议。会上成立了“满洲国策电影研究会”，由伪实业部长张燕卿任会长，关东军司令部副参谋长冈村少将和伪文教部次长许汝任副会长，由关东军、伪满警务司和伪军政部等部门共十人担任委员。1934年10月，这个研究会的成员扩大到二十五人，其中军警和情报部门占十五人，伪文教部只有一人参加。

1936年7月，该研究会提出了“满洲电影对策树立案”，根据这项议案，伪满当局成立了满洲电影国策审议会和准备委员会。前者由关东军参谋长板垣少将任委员长；后者由关东军参谋稻叶中佐任委员长，两会委员多由军警部门

日本人担任。1937年8月14日,伪满国务院以第二四八号敕令颁布了“株式会社满洲映画协会法”,同时指定设立委员,8月21日由设立委员主持,召开“株式会社满洲映画协会创立总会”,正式设立“满映”。

“满映”作为专业电影公司,本来是文化企业,可日伪统治者和“满映”自身,对“满映”的文化品位和电影的艺术属性都看得很轻,而看中的却是其反动的宣传作用。《满洲映画协会案内》中说:“满洲映画协会,是满洲国的国策会社,根据日满一德一心的正义,本着东亚和平的理想的真精神,在平常无事的时候,对于满洲国的精神建国,有重大的责任……到了一旦有事的时候呢?他责任更大了,就是与日本打成一气,借着映画这种东西,实行对内对外的思想战、宣传战。”从中可以看出“满映”是通过电影这种易于为群众所接受的形式,向东北沦陷区人民进行殖民主义思想和殖民主义文化教育。“满映”是一所文化侵略机构。

“满映”拍摄的影片,把宣传“日满一心”、“五族协和”、“建国精神”作为其贯穿的思想。他们利用纪录片快速、方便这个特点,极力宣传日本关东军和伪满国军,介绍伪满傀儡政权和日本的各种情况。如拍摄了《战斗的关东军》、《黎明的华北》、《发展的国都》、《光辉的乐土》、《建设满洲》、《日本海黎明》、《光辉的日本》等等,都带有很强的政治宣传色彩。

在故事片方面(当时称“娱民映画”),也把表

现日伪军警的“功绩”的影片放到了重要位置:《国境之花》、《黎明曙光》、《大地逢春》都是宣扬日伪军队的“功绩”。《国法无私》、《银翼恋歌》、《现代男儿》是美化伪满军队的。《大陆长虹》、《铁血慧心》、《碧血艳影》是美化伪满警察的。《东游记》、《现代日本》是宣传日本的。这些影片虽然数量不是很多,但却充分体现了“满映”制片指导思想。

“满映”从建立到解体,共拍摄故事片一百零八部,纪录片一百八十九部,新闻片《满映通讯》(日语版)三百零七号,《满映时报》(汉语版)三百十三号。在利用电影向民众灌输殖民主义思想方面干了很多坏事。

甘粕正彦畏罪自杀

胡 昶

1945 年 8 月 20 日凌晨五时五十五分,“满映”的理事长甘粕刚洗漱完毕,回到里间。他的随从们听到室内发出“哎哟! ”的声音,急忙奔入室内,只见甘粕正彦弓着身子蹲在沙发前,两手支撑着腰,已自杀身亡。

甘粕正彦,是著名的侵华分子,1891 年生于日本宫城县仙台市一个士族家庭,1912 年在日本陆军士官学校毕业后, 先后任津市步兵五十一连队队副、东京涉谷宪兵分队长等职。1923年9月日本发生关东大地震，甘粕乘混乱之机，杀死了日本无政府主义者大杉荣和他的妻子伊藤野枝、外甥橘宗一，为此被军法会议判处有期徒刑十年。但甘粕仅服刑两年十个月，即于1926年10月被保释出狱。同年来中国东北会见了侵华干将、日本关东军沈阳特务机关长土肥原贤二。后于1929年7月携带家口来我国东北，同关东军参谋板垣征四郎搭上关系，从此参与日本关东军对入侵我国东北的策划活动。1931年"九一八"事变后第二天，甘粕即窜到吉林市，炸毁日本侨民的民房，9月21日又窜到哈尔滨，炸毁日本驻哈尔滨总领事馆，为日军入侵制造了借口。此后他还参与了挟持溥仪的活动。甘粕是日军策划入侵我国东北的急先锋之一。伪满傀儡政权建立后，他担任伪民政部警务司长，控制伪满警察，在镇压东北沦陷区人民方面，做了许多坏事。1937年4月，甘粕又担任了伪协和会总务部长兼规划部长，成为这个法西斯组织的重要干将。1939年11月经伪产业部次长岸信介、伪国务院总务厅弘报处处长武藤富男的推荐，甘粕担任了"满映"第二任理事长。

甘粕在担任理事长后，多次调整"满映"的机构，启用了一些中国人拍片，在表面上对影片的题材稍许"放宽"，但仍把宣传"日满亲善"、"五族协和"的"国策电影"放在首位。在他担任理事长期间拍摄了《黎明曙光》、《黄河》、《大地逢春》等一些思想内容反动的影片。甘粕在任

“满映”理事长后，仍和日伪军警部门保持联系，还暗地操纵一些人到我国关内搜集情报。

1945 年 8 月 9 日苏联红军向关东军发动攻击后，甘粕就感到了末日即将临头。当天从大和旅馆(今长春春谊宾馆)搬到了“满映”理事长室。8 月 11 日甘粕下令日本职员及其家属集合到一个大摄影棚内，实行集体防御，准备集体“玉碎”。8 月 12 日大谷隆等三人对他进行警护。8 月 13 日甘粕对他的好友藤山一雄说：“我准备死。”8 月 14 日甘粕获悉日本投降，万念俱灰。8 月 16 日他下令焚烧“满映”的重要文件。他在政界的好友古海忠之等得知甘粕要自杀，都来劝解，但甘粕执意要死。当晚在理事长室举行威士忌酒会，同好友诀别。8 月 19 日苏联红军航空兵先头部队占领长春，并建立“苏军长春卫戍司令部”。第二天清晨，甘粕趁警护他的人到走廊的瞬间，进屋喝下了他随身携带的白色粉末——氰化钾自杀身死。

大家有章为建军筹款

王启民 口述　胡　昶 整理

日伪时期，在“满映”里有位日本人，叫大家有章。此人和其他日本职员不同，思想进步。他来“满映”前，在日本国内因受他姐夫、著名马克思主义经济学家河上肇的影响，参加了日本共产党，曾被日本政府捕押多年。出狱后来到东北,在“满映”工作。先任巡映课长,后任厚生课长。日本投降后不久,中共长春市委派赵东黎、刘建民到“满映”接收,大冢有章主动靠近我们,因为他敏锐地感到我们是共产党人。1945 年 9 月中旬的一天，他找到我说：我是日本共产党员,我想同中国共产党取得联系,想了解中国红军二万五千里长征的情况，请帮助我见见刘先生。我答应给予引见。我把大冢有章的意思汇报给刘健民,刘健民表示愿意同他相见。我同大冢有章商量好之后，由我把刘健民带到大冢有章的家里(进化街的满映住宅区),由我作翻译,刘健民向大冢有章介绍了中国共产党和八路军的政治宗旨和二万五千里长征的业绩，两人谈得十分融洽。

9 月下旬,刘健民想回部队工作,一天找到我说:我想回部队带兵去(刘是团长),没有经费组建部队,你能否帮我弄一笔钱?我问要多少?刘说:需要组建一个团的经费。我感到这是一个很大的数目。我说我找大冢有章看他有没有办法。我遂把刘健民的想法讲给大冢有章，大冢说:我个人没有钱,我可找朋友试试。几天后,大冢高兴地找到我说:可以了。让我通知刘健民准备车去取。

9 月下旬最后几天的一个傍晚，按约定,刘健民弄来一辆苏军吉普车，由穿苏军上尉服装的中国人开车，大冢带我到绿园日本住宅区的一栋民房前，车停下来，屋子没有开灯，由主人从一栋二楼的楼上放下来三个柳条包。我们把东西装好后，把车开到长春大街原“满映”录音室的房子前，把柳条包搬到赵东黎住的屋里，苏军上尉开车离去，我们二人进屋，由刘健民写下借据交大冢，说八路军进城后如数奉还。刘健民、赵东黎还备了一点简单的酒菜，招待大冢和我，刘还分别送大冢和我各一套中文版的精装《联共党史》。刘健民带着这笔巨款组建了部队。

大冢有章于1948年12月任东北人民政府产业部日籍职工科科长，后调鞍钢任外籍职工科科长兼市总工会外籍职工部部长。1956年8月回国，1967年10月创建毛泽东思想学院，任院长，1979年9月病逝。

大冢有章及他那位朋友为中国解放战争所做的贡献，中国人民是不会忘记的。

狱警暗助　经理获释

胡　昶

1945年11月30日，东北电影公司总经理张辛实，副总经理王启民等八人，被国民党掌握的长春市警察局第七分局逮捕，关押在拘留所里。他们认为这几个人都是共产党的积极分子，欲寻找理由判处死刑或重刑。关押后，国民党特务分子故意打破一个装有化学药品的玻璃瓶子，放出一股令人窒息的气味，妄图把他们几个毒死。张辛实等人打破了窗子的玻璃，室内进来了空气，才使他们幸免于难。这件事使他们意识到：国民党特务分子没安好心，是想把他们置于死地，因此急于同外面取得联系。

这时，看守他们的警察中有个狱警有意接近他们。最初，张辛实等人不知他的用意，不敢和他打唠。后经试探，才知他有位妹妹，很喜爱电影，很想当名电影演员。他听说他看守的几个人是东北电影公司的总经理和副总经理及部长，便想请他们帮忙，将其妹妹收做电影演员。张辛实等人觉得这是可以利用的关系，满口答应出狱后“一定照顾”，遂请这位狱警帮助了解国民党准备怎样处置他们。

这位狱警很义气，他偷看了案卷，回来悄悄告诉张辛实他们，案卷和小黑板上都写着“共助八人，准备枪决”。张辛实等人听到后感到很紧张，又请这名狱警带个条子给东北电影公司。

张辛实等人被捕后，中共党员田方正同中共长春市委联系，设法营救。他们得知国民党就要下手的消息后，紧急找到苏联红军文化处，由苏联红军出面，到第七分局把张辛实等八人要了出来，使张辛实等人免遭杀害。

这位狱警是谁？被捕八人都记得他叫刘长春。

百草之王——人参

王宏刚　周　玲

人参，满语称“额尔和多”，意思是百草之王。古时候人们认为其“秉东方生发之气，得地脉淳精之灵，生成神草，为药之属上上品”。它不仅是一种名贵的大补之药，居东北三宝之首位，而且在满族的民族经济中，占有举足轻重的地位。

渤海、辽金时期，人参是史籍上记载的大宗商品。明末，明廷曾一度停止互市，致使建州女真连续二年人参卖不出去，给女真人造成了极大的经济困难。聪明精悍的后金开基皇帝努尔哈赤,为了打破明廷对人参交易的操纵和垄断,对人参加工技术进行了大胆革新，把浸润法改为煮晒法。保存了人参,也就是保存了女真人再度兴起的经济实力。今天，在满族中仍流传着《小罕挖棒槌》的佳话,说当年小罕子被明将李成梁追赶，逃进长白山，遇见了八个挖参的兄弟,便跟着他们一起放山。有一天,大伙正蹲在戗子里抽闷烟,外边一阵大风,一声吼叫,一只瞪着两盏琉璃灯似的眼睛的猛虎，围着戗子打转转。按规矩,大伙轮流把帽子扔出去,老虎叼谁的帽子,谁就得跟虎去。别人的帽子,老虎理也不理，小罕的帽子一扔出去，老虎叼起就走了。

小罕子跟在虎身后走,老虎不但没吃他,还把他引到了一大片参地。只见一棵棵老人参晃动着叶子,果实鲜艳欲滴,在阳光照耀下闪闪发光。小罕子和八个兄弟足足挖到天黑,每人背着大棒槌包子下了山。他们用棒槌换了马匹、兵器和粮草,人也越聚越多。以后,小罕子成了一位智勇双全,骑射绝伦的英雄。当年那八个兄弟,就成为八旗首领,跟着罕王南征北战,统一了东北各部,打下了大清的江山。

满族老百姓，为缅怀在长白山挖过参的罕王,祭祀时都要在院里竖一根木杆,说那是罕王当年用来挖参的索罗棍,并把老虎视为山神爷,放山人进山必须叩拜它。

满族先民的挖参习俗中带有浓重的神秘色

彩,《长白征存录》载:"土人称参为棒槌,每年至七月间入山挖参,名为放山。身佩红线绳数条,绳头系青铜钱一个,手拄小木杖一根,披荆拨草,踽踽而行。一见参苗特出,则疾趋向前,大声呼之曰:'棒槌!'以红线绳系之,青铜钱镇之,并伏地叩头,以谢山神。然后四周掘坑,恐损其须。"

清代挖参成了打牲乌拉衙门的专职,由指定的打牲丁集体采挖,所采人参多作为皇家贡品。

满族在其长期的挖参实践中,掌握了人参生长的规律,逐渐在家种植人参,称为"家参",一直发展到今天大面积的圃养,称为"园参"。

鹿与鹿茸

王振骥

近代诗人沈兆禔诗曰:"鹿麋夏五各成茸,产自关东瑞所钟。"鹿茸与人参、貂皮齐名,同称"关东三宝"。

鹿茸的价值在于:具有兴奋机体功能,促进新陈代谢的作用。长期以来,被用作补精髓,壮肾阳,强筋骨的药物。根据近代科学分析,鹿茸内含有蛋白质、胶质、碳酸钙、镁、锰以及各种激素,临床实践中有增强人体各种机能和心脏活动，消除心脏疲劳和加速创伤痊愈等作用。此外，鹿胎、鹿尾、鹿筋、鹿皮、鹿骨、鹿角，都具有较高的药用价值，可见鹿全身皆宝。有诗曰："京都王侯宅，大官贵赂媚。饮血回阳春，芹献重邮寄。"在清代，鹿茸是达官贵人馈赠的奇珍，也是贡品。

吉林省长白山有两种鹿。一种体型小，身上有白色圆斑点，好似梅花，称梅花鹿。另一种体型较大，身上无白斑，形似马，称马鹿。

梅花鹿的鹿茸是各种鹿茸中价格最高的，药材称为"黄茸"。野生的梅花鹿在我国的大部分地区早已灭绝。分布在长白山的种群也所剩无几。长白山区是野生鹿茸的主要产地。人们要见到野生鹿并不容易。因为它胆子很小，总是那么谨小慎微，远离人群。稍微有点动静，它就会吓得拼命奔逃。它喜欢成群地生活在宁静的密林深处。它体质比较脆弱，冬天怕深雪，夏天怕蚊咬。每到冬天大雪封山时，它们就成群结队地下到低山少雪的地方来。而当盛夏蚊虫肆虐的时候，它们又成群结队地向山顶攀登，寻找凉爽的处境，躲避蚊虫的攻击。鹿的食物主要以各种青草、灌木和小树的嫩枝叶等植物为主。每年八至十月交配。交配期间，雌、雄鹿都很兴奋。雄鹿甚至兴奋得不吃食物，不断发出悠扬的求偶鸣叫声。有时为了争雌鹿，雄鹿之间会发生残酷的殴斗，用角互相顶撞，常常造成伤亡。

紫貂与貂皮

王振骥

貂皮为吉林特产。毛根色青者曰青鞟;毛根灰白者为草鞟;毛根略紫,曰紫鞟,以紫鞟为上品。紫鞟,即紫貂皮。隆冬天气,把一碗冷水放在室外,外面用紫貂皮包住,长时间不会结冰。《长白汇征录》载:"貂皮最能御寒,遇风更暖,着雪即融,遇水不濡。"紫貂的皮毛保温性很强,轻便坚韧,灵活华美,为皮毛中的上品。相传在古代,只有品级高的官员,才能穿紫貂皮做的冬装。武将用紫貂皮制成的衣服称"彩貂战裙"。战国时赵武灵王改穿胡服,学习骑射,即曾效仿北方民族风习,用貂皮装饰帽上,以示尊贵。苏轼在《江城子·密州出猎》一词中,有"老夫聊发少年狂,左牵黄,右擎苍。锦帽貂裘,千骑卷平岗"之句,描写了古代将士以貂裘为盛装出猎的情景。早在十七八世纪, 俄罗斯沙皇曾把貂皮作为珍贵礼物用于外交。

这种珍贵的动物,生长在中国、朝鲜、蒙古、苏联。吉林省长白山苍翠茂密的林海深处,是紫貂自由的天地和家乡。

紫貂常以石洞、石塘、土穴、树洞为临时住处。善于爬树,天性机警,行动敏捷。除母貂生育子女有固定窝巢外，其他季节都过着流浪生活。它喜欢摘松籽和浆果吃。习惯夜间活动，出没无常。紫貂每年繁殖一窝，六月到八月间发情交配，次年三到五月产仔。《满洲地志》曾记载："当冬春之交，为貂鼠出游，牡牝相求之时，其足迹追走，相续为一线之路。于是瓦尔喀人置伏弓于其路上，凡行过之貂触之，则其伏矢自发而贯貂。"

紫貂体型类似家猫，身躯细长，约一尺，尾长半尺，全身为棕褐色或灰褐色，间有白色针毛，俗有墨里藏珠之称，很是美观。

紫貂性情古怪而凶暴，驯养难度大。放在笼子里，它整天疑神疑鬼，惊慌不定，有时连食物都不吃一口。为了驯养紫貂，人们费尽了心机。1929 年 4 月，苏联动物园饲养一只叫"曲齿"的母紫貂，在人工喂养下第一次生了后代。我国野生动物饲养人员通过艰辛的努力，摸清了紫貂的生活习惯，在貂场为它创造了接近野生的环境，1965 年首次繁殖成功，繁殖水平超过了苏联，为我国大规模繁殖紫貂奠定了基础。

吉林是紫貂的故乡。现在，国家已把紫貂列为第一类珍贵野生动物加以保护。

采珠风情

王宏刚　周　玲

珍珠，以东珠名贵。它洁白、晶莹、圆润，大的直径达半寸，小的有如黄豆粒，是产于黑龙江、松花江、牡丹江水系河蚌中的一种名珠。常熟徐兰，字芬若，著有《塞上六歌》。其中《采珠序》说，岭南北海产珠，皆不及东珠之色如淡金者品贵。采珠曾是往昔满族捕捞业中重要的项目。清代，打牲乌拉衙门内设有“珠轩”，专营采珠，珍珠成为皇家专用品。

每年旧历四月到八月是采珠的季节。季节一到，珠轩达便身着朝服，高踞在有彩棚的轿船里，率领着一大串采珠威呼(满语：小船)，装着粮肉、采珠器具，浩浩荡荡行进在松花江、辉发河等盛产珠蚌的江河中。遇到河口、高山、古树，都要敲锣、击鼓，摆上香供，鞭炮齐鸣。船队到了地方，停靠河边，扎营盘帐，搭锅支灶，焚香磕头，祭拜河神，祈祷采珠丰收。

采珠开始那天，江边点起大火堆，打牲丁全上了采珠船。不管天气多冷，个个都得赤身露体，他们半蹲跪在船上，眼睛盯着珠把式。珠把式站立在船头，船顺水而下，他根据水流和浪纹的变化，就能判断出水下藏着什么样的蚌和蛤。

如果他发现了目标，立即把长杆往河底一插，船马上停住。这时，打牲丁们胯下兜一块软皮，憋足一口气，按顺序一头扎进水里，潜到插杆的地方摸捞河蚌，得手后跳出刺骨的水面，烤火喝酒，取取暖再下河捕捞。所得蚌蛤，全由珠把式手持尖刀，在船上当着珠轩达面开蚌取珠。得蚌重八分以上者充贡。珠先放在净水碗中，再集中放在吉林将军署印制的纸袋里，封固注明。

由于清廷的过度采捕，江河中蚌蛤日见稀少，《永吉县志》载："珠罕而难求，往往易数河不得一蚌，聚蚌盈而不产一珠。"多少打牲丁为得一珠，几度出生入死！至今在吉林乌拉街的满族中，还流传着不少采珍珠的故事。

乌拉街白小米

杨蔚宾

永吉县乌拉街乡生产的白小米，久负盛名。因乌拉土质肥沃，自然条件得天独厚，所产谷子米粒又大又圆，颜色竟像东珠那样白，吃起来清香入口，于是便成为当时打牲乌拉总管衙门向京城进贡的主要物品之一。在清宫御膳房当过差的太监们，都知道宫里有句口头禅："松阿里的鲟鳇鱼，大乌拉的白小米。"可见乌拉小米在当时是很有影响的。

据史料记载：清朝时期，乌拉有三分之一的耕地种谷子，约有五千多垧，最高垧产达到1300公斤，可碾小米950公斤。

乌拉街小米最好的是杨屯小米。在杨屯村邻近旧街的地方，有一块大约二十多垧的油沙地，当地人称之为“孤店子”；在这里产的小米叫“稷米”，满语名叫“希福百勤塞”，是乌拉街小米中的上品。这种米颗粒整齐，颜色白而发亮，做出来的小米饭香味浓郁，吃到嘴里甜丝丝的。小米饭则是盛夏消暑和妇女产后常吃的主食。据说，吃这种小米饭奶汁多，婴儿长得壮。这种习惯至今沿续。这块地产的小米，在清朝时，全部逐级进贡，献到皇宫，老百姓是吃不到的。乾隆十一年(1746)，清朝统治者就曾发过禁止私卖小米的通告，明文规定：“私带米粮出卖者，米不及五十石者杖一百徒一年，米过五十石者发附近充军……”这里主要是指小米。从这一点，可以看出乌拉街白小米早就成为粮食中的珍品。

山菜之王——蕨菜

王克敏

蕨菜，俗称猫爪子，乃野菜之佳品，人们赞誉为山菜之王。有首民歌《蕨菜谣》写道：“蕨菜，美味的蕨菜，生在深山里，小叶尖尖细，卷得紧紧密。一棵棵，青青绿，长得高又齐。……每逢春季，我们把你采下山去！"

蕨菜作为人们喜食之野蔬佳品，已有一、两千年的历史。据《吉林外记》所载，居住山村的少数民族，将其视为野菜中的上乘，誉之为"吉祥菜"。《长白征存录》载："蕨，长白山中处处有之。初生时卷曲，状如儿拳，长则宽展如雉尾，高三、四尺。茎嫩时无叶，采来加以热汤，去其涎滑，晒干作蔬，味甘滑，肉煮甚美。姜醋伴食亦佳。"清朝时还把蕨菜列为朝廷贡品。

蕨菜营养丰富，含胡萝卜素、维生素C。还含有野樱甙、紫云英甙、延胡索酸、琥珀酸、生物碱、蕨素、蕨甙等化学成分，有一定药用价值，具有解热、利尿、益气、养阴的功能。

蕨菜的产区在吉林省分布较广，特别是长白山区出产的蕨菜，体壮、色绿、质嫩、味鲜，且未被化肥、农药所污染，驰名中外，深受欢迎。

蛟河烟

杨 光

相传很早以前，在吉林漂河岸边的一个小村庄里，住着一对青年男女。男的叫佟强，女的叫黄妍。两人相亲相爱，情深谊厚。有一年发大水，黄妍姑娘从山上采药回来，不幸被漂河水卷走了。佟强思念黄妍,吃不下饭,睡不着觉。有一天,他忽然在梦中梦见了黄妍。黄姑娘告诉他,如果想见她,就到四方台挖一种小菠菜似的小草,回来栽上。等长大了,割下晒干后,卷进纸筒,点燃吸烟,再吐出烟雾,她就会在烟雾中现身。佟强听了,依话而行。他历尽辛苦,终于在四方台上挖回了这种草,经过精心栽培,到秋天割下晒干,卷上一吸,果然在烟雾中见到了黄妍。这事一传开,乡亲们感到很新奇,都来吸烟,他们虽然从烟雾中见不到黄妍姑娘,却感到烟味芳香,既解乏又提神。于是大家纷纷讨去种子种植起来。春种秋收,总得给这种奇异的草起个名字啊!大家想,既然这种草是黄妍告诉的,就干脆叫它"黄妍"吧。因为"妍"又同"烟"谐音,以后叫来叫去也就叫"黄烟"了。又因为这种烟草出产在漂河两岸,就叫它"漂河烟"。

在清末成书的《吉林外记》中记载:"烟,名色不一,东三省俱产,唯吉林省最佳。吉林城南一带,名为南山,烟味艳而香;江东一带,名为东山,烟味艳而醇;城北边台烟为次,宁古塔烟名为台片。独汤头沟有地四五垧,所生烟叶只有一掌,与别处所产不同,味浓而厚,清香入鼻,人多争买。此南山、东山、台片、汤头沟通名黄烟。"

黄烟历史上曾经叫过"南山烟",也叫过"关东烟"。据记载:现在蛟河县的漂河乡中的二亩地所产的烟草,在清朝一直是向皇帝纳贡的贡品。后来由于此烟日益闻名,种植面积遍及蛟河县大部分地区,所以人们也把它叫"蛟河烟"。

松花石砚

张有发

松花石，又名松花玉，产于长白山区混同江砥石山松花江发源地而得其名，地质学名“硅质灰岩”，又曰“沉积岩”。据《格致镜原》一书记载：松花石“温润如玉，绀绿无瑕，质坚而细，色嫩而纯，滑不拒墨，涩不滞笔，昔人所称砚之神妙无不兼备，洵足超轶千古”。可与龙鳞、凤味、琳腴、玉绥、斧柯(端砚)、铜雀等名贵古砚相媲美。

昔日，松花石砚由于专作御用，被视为国宝。清康熙帝赞而题款曰：“寿古而质润，色绿而生青，起墨益毫，故其宝也。”清乾隆帝三下江南之行携十二宝中，便有一件“松花葫芦砚”，并称颂曰：“松花玉，色净绿，细腻温润，可作砚材，发墨与端溪同，品在歙坑之右。”现故宫博物院所藏松花砚造型别致，并有康熙、雍正、乾隆、嘉庆等历代皇帝的亲笔题词。

松花石砚早在明代已问世，人们误认为是“绿豆端”。后经琢砚名家金殿扬确认是辽东松花石，产于长白山。而后被宫廷定为宫廷御砚，禁传世，因而伴随清朝覆灭，松花石砚也就湮没无闻。

自 1980 年以来，通化市工艺美术厂在省、通化市领导的亲切关怀下，在北京市文物局、故宫博物院、北京荣宝斋热情支持和帮助下，成立了挖掘“松花石矿源和试制砚小组”。历经一年半时间，终于在长白山区浑江岸边发现了已失传的松花石矿源，并用开采的松花石精琢一批新砚。1980年春，在北京举办了“松花石砚鉴赏会”。一百多名全国著名的书画家、文物考古鉴赏家、历史学家等应邀到会。金石、书画家当场试验鉴定，一致认为新采的松花石料，从颜色、纹理、贮水、敲击声响以及取样物理化验，与已失传的松花石完全相同。为此，首都各大新闻单位还报道了这国宝重新面世的消息。

松花石砚重新发现，引起了国内一些知名人士的关注，著名书法家赵朴初为松花石砚题词：“色欺洮石风漪绿，神夺松花江水寒，重见云天供割踏，会看墨海壮波澜。”著名国画家吴作人赞扬松花石砚在京鉴定，给予高度评价。末代皇帝的御弟爱新觉罗·溥杰先生也即兴题词：“地无遗宝，物尽厥材，松花石砚，继往开来。”

松花石石质硬度高，敲击声如铜锣，研墨之后，用水冲洗不留痕迹。颜色有紫红、紫绿相兼、深绿和淡绿等。纹理像大海的波浪，流水的漩涡，以深绿色的刷丝纹为上品，刷丝纹的精品又像孔雀石。深绿色的松花石在全国砚石中独占一席。

长春君子兰

王振骥

君子兰属石蒜科多年生草本植物，原为野生，产于南部非洲的山地森林之中，19世纪50年代初，由欧洲传入日本，被日本理科大学助教授大久保三郎命名为“君子兰”。君子兰传入长春，则是20世纪30年代初的事了。那时，它作为日本送给伪满洲国皇帝溥仪的珍贵花卉，只是在伪皇宫中栽培，而数量极少，仅供皇亲国戚、宫廷大臣等少数人观赏。直到1945年长春光复后，君子兰才从伪宫流入民间，并得到广泛栽培。此后，在广大花工和君子兰爱好者的精心培育下，不断有新品种问世。特别是近十几年来，其品种之佳，长势之好，都为国内外所罕见，被誉为“长春君子兰”。国内外许多花卉爱好者纷纷慕名前来观赏和引种。

在百花园中，牡丹、芍药、兰花、菊花、梅花等各花，因花朵艳丽多姿而早已受到人们的喜爱。君子兰则以花叶俱佳，叶、花、果并美而后来居上，跻入我国十大名花之列。它那青翠密集的叶片，火红璀璨的花朵和宝石般的累累硕果，在争奇斗艳的百花园中，独树一帜，别具一格，堪称花坛的奇葩。

它的叶，整齐互生，挺拔舒展，风流潇洒，“侧视一条线，正视如开扇”，“叶宽常吐绿，脉胳宜分明”；它的花，富丽堂皇，绚丽多姿，有的像俏丽的绫花，有的如晶莹的翠玉，有的似嫦娥舞袖，有的宛如秋波荡漾，有的仿佛仙女奉酒，有的好像枫林夕照；它的果，似绿翡翠云集，如红玛瑙荟萃，“蓓蕾绽开花作果，一载播种花又开”。难怪它连续获得两届香港国际花卉展览盆栽组冠军。

君子兰叶、花、果的独特风韵，使它显得端庄典雅，雍容华贵，成为名贵的盆栽观赏花卉，被称为有生命的艺术品。不但适合公园栽培，而且更适宜家庭和厅堂观赏栽培。用它布置会场和楼堂馆所，美化家庭环境，会使人赏心悦目，精神焕发。特别是在枝枯叶落的秋冬季节，室内的君子兰更会给人以生机勃勃之感。

君子兰的适应性很强，寒冬时节，“万花纷谢一时稀”，而君子兰却正在“含苞怒放盛妍开，昂首傲霜报春来”。它那一个多月的花期和四季长青的叶片，使人感到一种永恒的青春美。

君子兰不但能美化环境，而且还有“空调机”和“除尘器”的作用。它肥厚的叶片能吸收空气中的二氧化碳，通过光合作用，释放出大量氧气。它叶片上的许多气孔和绒毛，能分泌黏液，可以吸收和粘住大量的粉尘和灰尘。近来已有人在研究君子兰的药用价值。

1985年，君子兰被长春市人大、市政府正式命名为长春市市花。

长白珍宴

薛立业

长白珍宴采用长白山得天独厚的特产——人参、鹿茸、熊掌、飞龙、雪蛤、松茸等数十种稀珍产品为原料，做工精细，烹制有术，席面优美，色彩艳丽，像长白山一样多彩多姿。各道佳肴，状物生动，拟景传神，似兽者跃跃欲动，如禽者展翅将飞。命名典雅吉祥，符实贴切。其配制特色是药膳结合，山珍野味与名贵滋补药品佐配，食助药性，药借食成，既饱享口福，又有益健康。

长白山珍宴的第一道菜是扒熊掌，号称八珍之首。长白山所产熊掌，历代都是给朝廷的贡品，是上乘滋补佳品。制成菜肴的熊掌，鲜美丰腴，味道醇厚。

第二道菜是天池雪蛤莲。这道菜主料为蛤什蚂油。蛤什蚂又名林蛙，是长白山区特产。蛤什蚂油——体内的两块胶质蛋白，有利肾强身之效。

第三道菜是百花扒鹿筋，这道菜的技艺要求严细高精，可谓味中一奇。

第四道菜叫莲花家麟戏野凤。菜形如一池荷花盛开，盘中是爆山鸡丁，加鹿茸梅片，四周是用鹌鹑蛋和鸡茸酿制的十几朵荷花。因鹿为家麟，山鸡为野凤，故称莲花家麟戏野凤，不要说品尝其味，就是听其名，观其形，即可领略一种诗情画意。

第五道菜是二仙人长寿猴头蘑。猴头蘑利五脏，助消化，含有丰富的维生素。此菜除猴头蘑外，还配有火腿、干贝，以鸡汤多次烹制，使之烂熟入味，然后再经勺扒，泼鸡油而成，味道鲜美异常。

第六道菜是多喜长寿鱼。这道菜以长白山人参和甲鱼为主料，精心蒸制而成。参属阳，鱼属阴，阳升阴长，气血两旺，亦是滋补上品。

最后一道菜是火锅。这道菜要使用小火锅一具。火锅是一种烹调用具，古时称为暖锅，渐而引申为菜名。火锅用料多而全，有芝麻酱、辣椒油、韭菜花、蒜末、腐乳、虾油、葱丝、芥末、香椿、绍酒、味精、鲜蟹、海米、榛蘑、黄花、银耳等，主料是羊肉片(或猪肉和牛肉)。

满族火锅

王宏刚

吉林市北三十五公里的永吉县乌拉街镇，是明代扈伦四部之一的乌拉部的都城，又是清代打牲乌拉总管衙署所在地，是一座历史名城。该镇有一座饭馆，名叫“凤吉园”，是一家老字号,有一百多年的历史。清末民初,这家老店,生意兴隆,颇有些名气。凡是来吉林城的游客和各地商人,不顾跋涉之苦,都想到乌拉街,光顾一下这家老店。据说,之所以引起大家兴趣的是这家店经营的满族火锅。

火锅是满族之名馔。火锅这种吃法在满族先民中已有千年以上的历史。古时,女真人狩猎野餐时,常用篝火烧陶壶、陶罐煮食吃。塞外高寒,往往边烧边吃,这是火锅的雏形。后来随着金属用品的广泛应用,使火锅正式诞生,成了女真人行军出猎的随行炊具,吃法又进一步发展,成了独具一格的民族风味, 而且内容也大大丰富起来,曾出现过雀火锅、天上锅、地上锅、水中锅等多种火锅。

雀火锅,是一种陶制的小火锅,仅能放一只或数只山雀, 所以这种火锅往往成群放在篝火中烧煮。活雀入锅,味道当然新鲜别致,又往往在野外就餐,就更增添几分野趣。

天上锅,实际上是飞禽锅。满族先民有浓烈的灵禽崇拜观念,食用百鸟能使人敏捷、吉祥,所以,天鹅、水鸭子、鹌鹑、山雉等皆可入火锅,当然以飞禽为上品。

水中锅,即鲜鱼锅。古时常用一种石制方形锅,下部加火煮烧。鱼放进去时,往往还是活的,所以其味也佳美。

地上锅,即走兽肉火锅。配上木耳、蘑菇等山珍,就别具一格了。

野意火锅, 兼有上述几种火锅的特点,其

"汤沸时煮一切肉脯、鸡、鱼,其味无不鲜美"。兼备参筋,佐以猪、羊、牛、鱼、鸡、鸭、山雉、虾、蟹子肉等原料十分丰富,锅用锡与红铜制成。

渍菜白肉火锅,这种火锅容积大,装的东西多,为各类火锅之冠。其吃法是,将冷冻的白肉刨成花状,放入锅中,再配以酸菜、粉条、冻豆腐、大海米、蛎黄、冰蟹等,腴而不腻,吃时蘸以酱油、韭菜花、腐乳,更增添几分鲜美。这种火锅不仅在东北盛行,而且在北京、天津的名饭庄中经营。

什锦火锅,在丰腴的火锅汤里,放下切成薄片的牛、羊肉,味道醇厚,也是满族的一道名菜。

清朝入关后火锅遍及全国,进而形成了地域性的几大类系,成为中国饮食文化中的一大奇珍。

水院子——冰上客栈的兴衰

尚宝仁

丰满发电厂封坝前，每年冬天，松花江上的爬犁络绎不绝。爬犁是冬天沟通城乡经济的重要工具之一。由于爬犁多，又不能上岸，因而，很快兴起了水院子——冰上客栈。这是吉林市最早而又独特的旅店。光绪十七年(1891)《吉林通志》记载："十一月江冰，沿江旅店因岸为屋，凿冰立栅以集行人，市售獐狍鹿豕雉鱼之属，居人购作度岁之馐，并为馈礼。"

一张牛(或马)爬犁能载运一千公斤，比车运肩挑省力得多。农民或爬犁专业队将蛟河、桦甸一带的烟、麻、大豆、芝麻、冬蘑、瓜子以及山味等土副特产运到吉林城,又将城市的布、糖、盐、杂货以及各种工业品拉回山村去。爬犁在冰上运行都有轨道,轨道分上行、下行,如果牲口要喂料或饮水必须拐出轨道,以免影响后面的爬犁通行。

爬犁多在封冰的江上运行,为便于赶爬犁者食宿,水院子很快兴盛起来。据不完全统计,1933 年吉林城现船营街江段,冰上客栈就有六家,如福盛店,店主郭老八;天升栈后改福胜店,店主傅真家等。沿江上的水院子共十八家。为满足爬犁队挂马掌的需要,在水院子附近还开了些小型铁匠炉。

水院子是在冰上凿窟窿插入木板或木杆围个大圈,有进出两门,爬犁不用卸就可在院子里喂料饮水,旅客住在这种临时搭成的客栈里,如大德店一宿住过一百多人。一副爬犁一宿大约二三毛钱,马牛单算。一个人一宿五六毛钱,供应伙食,馒头白肉,有的还给酒喝。当时这些客栈竞争也很激烈,小窝河上面有个叫杜罗锅的爬犁店,一顿四个菜两个饼,氽白肉,白酒管够,最多住过四百张爬犁,顶得上下十公里没有开店的。水院子一般不备枕头被褥,农民枕马鞍子、黄柀椤木头墩,盖料口袋睡觉。《满洲产业大观》中讲:冬季江面平均结冰约七十厘米,冰上可以通行雪撬、马车,搬运大量物资,在这个季节里的奇特现象,就是在江面上出现"马车店",也就是"水院子"。从上江把粮食搬来,车夫在江岸住宿，马则在江面的马棚中过夜，一到这个季节，骡马成群，车辆云集，一派热闹景象。宣统初年在吉林兵备处任职的沈兆禔，亲自目睹这种盛况，曾赋诗一首：“连朝风雪水冰坚，立栅江沿受一廛。凫雉獐狍朝列市，居人争购度新年。”

朝鲜族的民族体育
——秋千、跳板

郭三溁

秋千，是朝鲜族妇女最喜欢的民间游戏之一，已有一千多年的历史。自古以来，每逢风和日丽，花卉争艳的春阳节，村村户户的朝鲜族妇女身着鲜艳夺目的节日盛装，聚集在绿树成荫的大树底下，伴随着欢声笑语，尽情地荡起秋千，互相攀比，各显其能，充分展现着她们的技巧。这一游戏简单易行，从前是选一棵大榆树，再将一条粗麻绳的两端拴挂在高高向旁岔出的粗壮树枝上，在垂吊下来的下端绳上系一块半尺来宽的木板，即可站上去悠荡起来。还可以双人面对面踏在木板上，前蹬后拉地荡起来。蹬力越大，技巧协调，就可以越荡越高。延边朝鲜族自治州成立后，将秋千列入体育运动比赛项目。比赛时，在运动场上架起秋千架，前方两侧竖起

五六米高的竹杆，上端系一条带响铃的红绳，让荡秋千的人碰响其响铃，以碰响的次数多少来定胜负。

跳板，也是朝鲜族妇女所喜爱的传统民俗游戏。据传，古时有两个人家的男人被囚禁，妻子日夜想念丈夫，而囚狱高墙四周看守森严不得进入。他们的妻子共同商量出一个办法，在狱附近架起跳板，然后两女人面对面站立在踏板两端，轮流跳板腾跃，借此机会窥视各自男人在狱中的面容、体态。1792 年清朝使节徐葆光赴琉球写的《琉球游行记·中山传信录》中记载：“女人在岁初，以击球为戏，又有板舞戏。”这一游戏广泛流传于民间，每年端午、中秋节，朝鲜族妇女都喜欢跳板，沉浸在一片欢快之中。

朝鲜族节日

王克敏

朝鲜族的节日生活丰富多彩、富有特色。

朝鲜族的民间节日有：岁首节(春节)、上元节(元宵节)、上巳节(农历三月三日)、寒食节(清明)、燃灯节(农历四月八日)、端午节(农历五月五日)、梳头节(农历六月十五日)、秋夕节(仲秋)、重阳节(农历九月九日)、冬至节等等。其中，岁首节、上元节、寒食节、端午节、秋夕节、冬至节为六大节日。

岁首节，也叫元日，是朝鲜族一年中最盛大的节日。人们很早就忙忙碌碌地筹备着，盼望着这一天。到除夕，家家户户备足吃喝，做好新装，把屋里屋外打扫得干干净净，以欣喜的心情和崭新的面貌迎接新春。除夕夜，男女老少坚持守岁，直至子时才合眼。元日凌晨鸡鸣破晓，便开始拜年。元日早餐，一般吃打糕或大黄米饭，吃各种鱼肉菜和山菜。过去，男人喝特制的“屠苏酒”，是用桔梗、防风、山椒、肉桂等为原料酿造的一种药酒，认为元日喝这种酒可以除邪避祸，长生不老。现在多是喝白酒、果酒或米酒。午饭和晚饭，要吃“德固”，是一种饼汤，把大米面蒸熟后捣成大粘团儿，再把它搓成圆条，切成薄片，煮在老鸡肉或牛肉汤里，放上香油和紫菜。如在“德固”里放进包有肉馅的三、二个饺子，就称为“满德固”。白天，村里人按“契”或自然村屯分组进行拔河比赛，青少年射箭或打“石战”，姑娘、媳妇们跳跳板，儿童们放风筝。到晚上，男女老少分别玩“栖戏”，猜谜，老人打“数千”(纸牌)，青少年玩“捉迷藏”或“燃灯赛”，往往通宵达旦。在城里一般看戏、看电影，或开家庭娱乐会。

上元节，吃“药饭”或“五谷饭”，早晨喝“聪耳酒”。据说，喝这种酒可使耳聪目明，常闻喜讯。因此，全家人或多或少都要喝一点儿。药饭以江米、蜂蜜为基本原料，掺大枣、栗子、松籽等煮成。因药饭原料不易凑齐，一般以“五谷饭”代替。“五谷饭”以大米、小米、大黄米、糯米、饭豆

等五谷做成,意在盼望当年五谷丰登。上元节的主要活动是赏月,伴有各种游戏,过去有“火炬战”,比火炬亮的时间长短,进行车战和石战。“车战”,两台牛车相撞,比哪辆结实;“石战”,隔着一条小溪,两伙人互扔石头,看谁能抵得住。还有拔河等等。搞这些活动时,全村男女齐出动,或参加比赛,或敲鼓助威,或吹箫鼓劲,热闹异常。取胜者便唱歌、跳舞,欢庆胜利。晚上进行“迎月”、“踏桥”等娱乐活动。迎月,大家举火炬上东山高处迎圆月,据说谁先登山望见初升的圆月,谁就当年最有福。迎月之后,男女老少伴着欢快的歌舞,在月光下踏桥。传说,在上元月光下来回踏桥,可以康宁无祸。

寒食节,主要是到祖先坟地扫墓祭祀。

端午节,这是几乎可以同岁首节相媲美的朝鲜族传统节日。这一天,妇女们要用菖蒲水梳洗头发,把“萝蒲簪”别在头上,认为这样能使头发长得像菖蒲那样好看,并能免祸。姑娘们还要荡秋千,小伙子们则参加摔跤比赛。因此,端午节也叫摔跤节。

秋夕节,也叫嘉俳节。为了庆贺丰收,家家用新谷做打糕、松饼,还要祭祖先和扫墓。这一天的主要活动是摔跤、荡秋千、跳板比赛,还进行球类比赛,有时持续几天,全村人都来观看助威,气氛非常活跃。

冬至,也叫“亚岁”,有吃小豆粥习惯。这种小豆粥也称“奥古郎粥”,是用小豆、大米、糯米团子做成的,团子像小鸟蛋,所以又叫“小鸟蛋粥”。

朝鲜族过节,除了做各种食品以外,每个节日里,都根据不同的节日特点、季节气候,组织多种多样的游戏和体育活动。这些活动,又大都是集体活动,男女老少齐参加。因此,朝鲜族过节,气氛热烈,具有浓郁的民族特色。

满族通讯古俗

王宏刚

满族传统的通讯方式奇特而有趣。渔猎时,最常用的通讯方式是立竿为号:在一根长长的木竿上悬挂一些兽肉,用不了多久,前来啄食的乌鸦、喜鹊就会聚众而来,它们醒目的羽毛,尖利的鸣叫声,无疑是一个强信号,召唤着伙伴。有时给迷山的过路人,陷入困境的猎人以生的希望。

民族、部落之间传递信息的方式有多种,如:鹿角骨、狗、乌鸦、喜鹊等动物传信及石、传箭、烽火、木牌、桦皮信、口传与其他信物。

鹿角骨信使。在镜泊湖、牡丹江一带的满族部落聚会时用一根形态奇特的旧鹿角骨为信物,不管哪个部落,只要接到这根鹿角骨,就是最大的狂风暴雪,再高再陡的险山,也要立即赶到,兄弟相帮。

箭的象征。箭用来象征友情和敬意。满族部落之间常在箭杆上刻上某种象征符号来沟通信息，如“T”号是宴请的请柬；三道横杠就是有了险情；“×”号表示否决；铁箭头意味着强硬的宣战，等等。箭的传递也有多种方式，可以快马人传，也可以强弓射发。

狗的血传。满族长篇英雄传说《两世罕王传》记载了建州女真首领王杲和蒙古土默特部的通讯方式：王杲和土默特部王爷商定出兵事宜后，带走了有九个狗崽的母狗。过了二个月，王杲把建州兵马准备好，把母狗的肚子割一小口，把写在刮光的小羊皮上的密信，塞进伤口里，用丝布裹上，放母狗回去，母狗翻山越岭，穿过草地，回到了土默特部，九个小狗崽激动不已，簇拥上前。蒙古王爷从母狗身上得到密信，准时出兵，取得了战争的胜利。其实，在氏族时代，各部落之间的通讯经常借助这种狗的血传。当然，猎人远出，需向家人传信时，也经常用狗传信，这时就不一定要血传方式，只需把有标记的信物带回即可。

鸦鹊信使。满人敬鸦鹊为神，鸦鹊还可在征战或出猎中，充当可靠的信使。喜鹊每年农历五六月筑巢、下卵，七八月抱窝孵崽。这时，它特别恋窝，如果将其抱走，在猎地或营地放出，它一定会回到自己的树巢。在它的膀下或尾部放上信物，便能准确地带回。乌鸦终年恋群，如把宁古塔的乌鸦带到吉林乌拉，只要将其放出，它一定会回到宁古塔的鸦群。满族先人洞察其活动规律，也让它带回信物，它也就成为可靠的信使。

神石为凭。不少满族先人敬奉神石，石神被敬称为卓禄妈妈，卓禄玛法。有时，一个氏族要分支迁徙。分居时，将一块神石摔成几块，每一支人都持一块，以后，分居的族人以神石为凭，即可认同，如有危难，可凭神石求援，对方会义不容辞，共同解难救危。同样，有的姓氏敬奉树根、桦皮制成的神偶，也会用同样的方法，将有特殊纹路的树根、桦皮撕裂分存，以后分居的族人只要将原纹路对上，即可联系上。

巨石信号。往昔，居住在崇山峻岭的满族先人出门外猎，有要事告诉在家的族人，便在族寨人能望见的高山山坡上，用白石摆成多种巨大的图案，向族寨输送信号，一般用圆圈表示平安，用方形表示将要有盛大聚会，而一个锐角三角形的尖端所指的方向，即是有重大事端的地方，或喜或忧。族人们会根据巨石信号，作出相应的准备和反响。

火信传密。远猎或远征的族人，常用篝火搭成各种火形，如火塔，如飞虎，如奔马，如蟒蛇等等，这是向族人报告信息，或报警，或告喜，或呼救，或迎客，这种火信的秘密只有本氏族的人才知道。

满族的通讯古俗奇特有趣，凝结着人民的智慧。

四小碟压桌的来历

施立学

满族人家招待客人，不论做了几个莱，摆桌子时，除了酒杯、筷子、小碟外，还要把四个小咸菜碟压在桌子四角，这是满族特有的一种风俗。据说，这种风俗来自于老罕王努尔哈赤放山。

老罕王小时候家里穷，跑到长白山里，跟一伙人挖棒槌。他带着小米子、盐，白天上山排楞、铺趟子，晚上住在地戗子里。吃饭时，一张兽皮铺在地上，就算是饭桌了，几个人围着吃。

有一回，到了吃饭的时候，罕王刚把兽皮铺好，还没等放吃的东西，忽地来了一阵风把皮子给刮翻了。罕王拿起兽皮抖了抖又重铺，刚铺好又来一阵风，兽皮又被刮翻了。罕王急了，一刀照风头砍去，刀落在一块石头上，“当啷”一声，崩下四块像小碟大小的石头。罕王顺手捡起，压在铺好的兽皮上。这石头一压，风就不刮了。罕子跟大伙儿吃了一顿消停饭。打那以后，刮不刮风，只要铺好兽皮吃饭，就拣四块小石头压在四个角上，为的是图个顺当。

后来，罕王在盛京坐了江山，兽皮改成了饭桌，也没忘四块石头，便改用四个小碟。满族后代不忘老罕王创业艰辛，每逢吃饭，便用四个小碟压在桌子四角，里面装上咸菜，久而久之，就形成了四个小碟压桌的习俗。

雀路与猎道

王宏刚

在长白山区与松花江上游的满族聚居地，保留了许多渔猎古俗。往昔，机敏的满族猎人在茫茫林海中狩猎时，如果发现了白色的鸟屎，便会惊喜万分。因为鸟在他们的观念中，是能凌空天穹，晓彻天神意图的灵禽，所以白鸟屎是“雀书”，不仅是吉祥的预兆，也是指路辨向的路标。实际上，鸟的飞行是有规律的，猎人是根据其活动规律找到了“雀路”。不过，当时的猎人给它蒙上了一层神秘的色彩。

满族猎人有很高的观星能力，能根据星辰的位置和变化来确定季节、方位、时间和天候的变化，并在悠久的祭星习俗中，形成一个以冬令冷星为主的星辰系谱，其中塔其妈妈(蛇星)、依兰乌西哈(三星)、莫林乌西哈(野马星)等为计时星，恩都力僧固(刺猬星)、那旦乌西哈(北斗七星)、妥亲乌西哈(阶梯星)等为方位星。根据这些星谱，猎人在密林中能准确地判断方位和时辰，从而确定猎道。猎人还根据野兽的踪迹确定猎道，俗称“遛子”。猎人在林中确定的猎道，其中

有些是人们常走的，便在这段猎道上作上一点路标，如在某棵树的显要部位砍掉一块树皮，露出的白茬就是一个易识好认的路标。过几步便又可看见这样的路标，众多的路标指明了猎道。

东北农村有的村名叫“狼道屯”，“虎路屯”，就是过去猎道的遗存。

漫话长白山

杨蔚宾

长白山的名称始见于辽圣宗统和三十年(1012),一直沿用至今,已有九百七十余年的历史。

长白山拔地凌空,雄伟绮丽,为我国历代统治者所推崇,曾建庙宇,定封册,遣使致祭。清王朝视长白山为满族发祥之地,康熙年间封长白山为神山,岁时享祀,犹如五岳。

1908年,东三省总督徐世昌委任刘建封(大同)任奉吉勘界委员,赴吉林省安图县踏查长白山三江之源。刘率众人对长白山进行了历史上空前的全面勘查，写下了著名的《长白山江岗志略》、《长白设治兼勘分奉吉界线书》、《白山纪咏》等著述，为我们留下了珍贵的史料。

长白山曾是东北抗日联军的根据地。至今，在抗联战士行军、宿营过的长白山下深山密林里，在万古长青的松柏树上，依然保留着“抗联从此过，子孙不断头”、“抗联与山河同在，共产党与世共存”等豪言壮语。

中华民族的优秀儿子杨靖宇将军和无数革命先烈的英雄事迹依然深深铭刻在吉林各族人民心中。

长白山天池又名白头山天池，中朝两国界湖，位长白山之巅，因火山口积水成湖。湖面呈椭圆形，南北长 4.8 公里，东西宽 3.3 公里，水面积 9.32 平方公里。最深处 373 米，是中国最深的天然湖。湖面海拔 2188 米，是东北地区最高湖泊。天池水经乘槎河从北口溢出，在 1250 米处，形成 68 米落差的瀑布，十分壮观。瀑下有长白温泉，均与二道白河相通，为松花江之源头。

在天池周围，有许多名胜古迹，流传着许多满族族源的神奇传说，如青石钓鳌台、女贞祭台、八封庙、补天石、牛郎渡、金钱泉、王池、天女浴躬池(圆池)等。长白山温泉群，星罗棋布。长白山动植物资源十分丰富，是东北三宝——人参、貂皮、鹿茸角的产地。在素有长白林海之称的原始森林里，生长着长白山特有的奇花异草和长白虎、梅花鹿、黑熊、白天鹅一类的珍禽走兽，无异是一座天然的自然博物馆，是我国自然资源的大宝库之一。

集安高句丽好太王碑

王健群

集安地处老岭山阳之地，东临鸭绿江，山环水绕，风光秀丽。一千七百年前，高句丽王朝曾于此地建置王都，其第十九代王谈德以此为根据地，不断南征北讨，领有汉水以北广大地区，死后被谥为“国冈上广开土境平安好太王”，其子长寿王高连曾为其建立巨墓碑，颂其功德，即后世所称耶好太王碑，此公元414年事也。公元668年高句丽王朝灭亡，以后之渤海国以此地为桓州，仍为渤海朝唐道上之重镇。元明两代，烽火连年，使这里逐渐萧条。清初将此地划归封禁之区，遂至了无人烟，故国荒城，无人寻问。

清末，封禁渐弛，齐鲁流民渐集垦殖，称此地为洞沟，光绪二年(1876)，划归新设治之怀仁县(后改称桓仁县)管辖。

怀仁县令之书启关月山者，寻幽访古，发现好太王碑于荒烟漫草之中，拓得数纸，流传京师，为学人达官所重视，于是流传渐广。

此碑为现存巨碑之一，用不规整之方形角砾凝灰岩凿成，高6.39米，以底部计算，周长

6.29 米，四面镌刻隶书碑文，凡一千七百七十五字，首记高句丽建国神话传说并简述好太王行状，次记好太王征高丽、伐百济、救新罗、败倭寇、征东夫余等史实，最后记守墓烟户。因碑文中记有倭寇入侵史事，当年日本军部遂以此为“依据”，硬说 3 世纪时日本即已统治过朝鲜，用为吞并朝鲜之口实，致使百多年来称讼不已。1985 年以后，随着碑文释文逐渐明确，争论始渐平息。

此碑自发现以来，一直受到国人重视，从光绪初年起，怀仁县即派人守护此碑。以后设置辑安县(20 世纪 70 年代改称集安)，知县刘天成募捐于1927 年建成碑亭，并书楹联云：“碑固大矣，可昭日月；亭虽小也，能避风雨。”刘天成亦有心人也。

新中国成立后，洞沟古墓群定为国家重点文物保护单位，1965 年对此碑进行化学封护，1982 年扩大保护区，重建围墙，并修建了永久性大型碑亭，自是国内外访碑者纷至沓来，怀千年之往事，话部族之兴亡，使沉寂几百年之古碑再现芳华。

扶余大金得胜陀颂碑

施立学

大金得胜陀颂碑，位于吉林省扶余县石碑崴子屯东一点五公里的岗阜上。碑高3.2米，由首、身、座三部分组成。碑顶及侧面共雕有四条对称盘龙，龙头向下，龙身相交，张吻怒目，双爪夺珠，线条流畅，生动逼真。正面两龙盘曲之间，留有碑额，刻有金代文人、书法名家党怀英的手笔，六字二行汉文"大金得胜陀颂"，下刻有汉字碑及颂诗八百五十字，三十行，追述了当年金太祖完颜阿骨打在此集聚兵马，传梃誓师的经过及建碑原委。

碑文字简练，顺理成章，大量引用中国古代历史传说和秦皇、汉武等帝王故事，颂赞了帝业长久。碑身四周雕饰蔓草纹。碑背面为女真文字，是研究女真文的重要资料，已引起了中外学者的注目。碑身下有72厘米的龙首龟趺碑座，充分显示了唐宋以来的碑刻风格。

大金得胜陀颂碑址是金国的发祥地，是金太祖阿骨打南征北战的起点。由于完颜部酋长在春水秋山的游幸中损害了辽天祚帝的"威严"，遂于辽天庆四年(1114)九月，率领女真精兵二千五百人在这里誓师起义伐辽。

这里环境十分险要，北倚松花江，东临拉林河，西面由横亘南北高达五六十米的弓形断崖环抱，形成天然屏障。屏障与拉林河间有一椭圆形台地即为得胜陀。断崖陡峭险峻，拉林河交通便利，河谷平原一望无际，水草丰茂，便于隐蔽；地势险要，利于攻守，实为兴兵创业之地。

选择这样的地形，聚集兵马，誓师发难，出击宁江州，绝非偶然，而有其长久的历史背景和深思熟虑的战略眼光。

当年，完颜阿骨打在土岗之上，立马号众说："若大事克成，复会于此，当酹而名之。"一时间，阵容雄伟，群情激愤，刀枪林立，将士们仰望阿骨打如"乔松之高，所乘赭白马如岗阜之大"，而阿骨打顾视其将士"人马大高亦悉异常"，颇具浪漫与传奇色彩。一呼百应，声震山河，铁马金戈，势若拉林河大潮直卷大辽。一战而下边陲宁江州、混同江(第二松花江与伊通河汇合处)；再战又夺重镇黄龙府、泰州、长春州，攻克晚散城。第二年五月，阿骨打正式称帝，建立金朝。

七十年后，金大定二十五年(1185)四月，金世宗完颜雍春猎来这里，揽物记胜，追怀先帝风栉雨淋，开创之功，决定在阿骨打誓师之处的岗阜上建大金得胜陀颂碑，以润色祖业，诏于万世。"酹而名之"的壮志始得以实现。

柳条边遗迹琐谈

王维堂

中国长城举世闻名，而对于中国的绿色长城,则知者甚少。这鲜为人知的绿色长城,就是绵亘辽宁、吉林两省的清代“柳条边”。它起伏于高山低谷之中,蜿蜒数千公里,如巨龙盘踞在关东大地上,构成了一条柳丝的边墙,被称为皇家绿色长城。

清代柳条边虽岁久年湮，但其散在于辽吉两省的历史遗迹,仍清晰可辨,踏访者日众。

清杨宾《柳条边纪略》载:“古来边塞种榆,故曰‘榆塞’。今辽东插柳为边,高者三四尺,低者一二尺,若中土之竹篱,掘壕于其外,呼为柳条边。”“插柳结绳”,筑成一道内堤外壕、堤壕柳相依的边墙。如今柳林虽已不复存在,但田间堤壕痕迹随地清晰可见。“插柳结边划内外”,边墙南为边里,北为边外。边里设“围场”、“林苑”,供皇室、清兵围猎习武。康熙及乾隆帝曾来此狩猎,赋诗记兴。康熙诗曰:“吉林围,盛京围,天府秋高兽正肥。本是昔年驰狩处，山清水态记依稀”。“吉林围”,即伊通阿木巴克围场,至今“围房”、“峰堆”遗迹可见。

柳条边共三段,分为老边、新边。老边两段,

在辽宁境内，俗称辽东边墙、辽西边墙，因始建于明朝，清朝重建，故称老边。新边一段，在吉林境内，建于清代，故称吉林新边。《大清一统志》载：“盛京(沈阳)边墙，南起凤凰城，北至开原，折西而至山海关，接边城，周二千五百五十余里；又自开原威远堡而东，历吉林西部，至发特哈门(呼兰县法特乡)，长六百九十余里，插柳结绳，以定内外。”

辽西边墙，西自山海关起，经兴城等地东达开原，绵延五百多公里，建于1442年。

辽东边墙，西自开原起，东南至鸭绿江口，长五百余公里，建于1467年。《中国古今地名大辞典》载：“凤凰城南之边墙，则唐贞观时，高丽莫支离，盖苏文所筑之遗迹也。”由明上溯至唐，历八百余年；自唐贞观下延至清康熙，达千年之久，当为关东最古边墙。

吉林新边，南自开原，经四平、伊通约三百公里，1670年修建。

纵观三段边墙，呈“丁”字形连成一体，以开原为中心，辐射延伸，长达一千五百多公里，其工程之浩大，仅次于长城。以造林绿化论，亦不失为一大壮举。

柳条边颇具满族游牧特色，沿边墙分段设置边门、边台，建木栅栏。各段设边门不等，辽西十个，辽东五个，吉林五个(一说四个)。许多边门、边台之名沿用至今，诸如四平南部的半拉山门，凤城东南的边门等等。乾隆帝有《伊通门》诗。清嘉庆五年，在此设“长春厅”，筑土城叫“新立城”，长春、新立城地名，即由来于此。

清代柳条边乃沿明朝所遗边墙而建，而明朝边墙袭唐贞观高丽边墙遗址而设，正是“前人之法后人守”。

“四边门”与吉林新边的废置

纪 新

巴彦鄂佛罗边门(又名法特哈边门)、伊通边门、赫尔苏边门和布尔图库边门(原名布尔图库苏巴尔罕边门)，是清代柳条边吉林新边上四个重要的八旗驻防机构。在清代，“四边门”与吉林新边的存在，对边内外地方的社会发展曾有过较大影响。

据清代文献记载，“四边门” 均设立于清康熙二十年(1681)，至清光绪三十四年(1908)，皆统辖于吉林将军衙门兵司管下。兵司裁改后，改属吉林全省旗务处。自光绪三十四年九月起，该处又兼协理蒙务。至民国元年(1912)九月，该处定称“吉林全省旗务临时筹备处”。

在清代，“四边门” 是清政府设置的柳条边事务专门管理机构，亦是吉林境内的四个重要关隘。其置官规格，同盛京将军所辖各边门相似。各边门者设有五品防御章京和笔帖式各一人署理，并派二十名八旗兵丁驻防。“四边门”的

主要职责是，维护区划吉林将军辖区与蒙王公驻牧地的界限——吉林新边。此外，也行使其他八旗驻防机构的一般职能。其具体任务有："把门验印"与稽查流民、"拴边挖壕"、"选兵比丁"、贡纳皇室用品、代征大小租钱、管理义仓、协济驿站，以及参与所在地方的民政、治安、教育、盐政、税政等项管理建设。由于"四边门"权重一地，清末时的各边门驻地，都是人口比较集中、经济较发达的省内少有的大集镇，俗称"门街"。

随着清朝封禁政策的松弛，特别是清嘉庆五年(1800)以后，清政府在吉林新边以外的蒙古王公驻牧地实行"借地设治"，先后设置了"长春厅"(辖于吉林将军)、"昌图厅"(辖于奉天将军)，这样吉林新边基本上失去了原来区划界限的作用。尽管如此，为了保护统治民族的文化传统和清皇室的各种特需，嘉庆以后的历代清朝皇帝，都遵从祖制保留了这条柳条边墙及其驻防机构四边门。大量事实说明，尽管清政府从1860年以后解除了对东北地区的封禁，吉林柳条边并没有随之废弛，而且继续进行管理活动。例如，在有关的历史档案和《吉林通志》上可查明其职官选派一直持续到宣统年间；"拴边挖壕"活动一直持续到民国年间；据宣统元年《吉林省各边门驻防八旗台丁人口年龄婚嫁统计表》统计，此时"四边门"人口总计二万五千二百七十人。其中台丁九千二百八十八人，为清初吉林"四边门"台丁总数的十四点四八倍。

珲春龙虎石刻

施立学

珲春龙虎石刻为石质花岗岩，高1.4米，宽1.38米，原在凉水河东屯3.5公里的山坡上，坐北朝南，背山临水，为了便于保护，近年移入县城。石刻正面以双钩法镌刻篆书“龙虎”二字，左端刻有吴大瀓题额。人们立于石刻前，立刻会想起首任珲春副都统、被称为虎将军的依克唐阿。

依克唐阿，字尧山，满洲镶黄旗人，姓阿扎拉里氏(汉译张姓)，伊通县城东南马家屯人。依幼年丧父，寄居伯父家，他智勇健壮，性刚毅，喜狩猎，善骑射，二十岁编入满洲八旗的“马甲”，因作战有功，同治五年(1866)被赐号“加法什尚阿巴图鲁(诚勇之意)”。

同治八年(1869)九月，被派黑龙江，任墨尔根副都统，因为“整顿旗务，修缮甲兵”，聘请博学、开发文化、兴办屯田，成绩卓著，三年后，补为黑龙江副都统。那时，北疆正受沙俄骚扰，危在旦夕，依将军或“简从渡江”据理交涉，争回银票一百数十万两；或带兵拒敌，以理力争，保卫祖国领土主权。

光绪七年(1881)，依首任珲春副都统，随清廷大臣吴大瀓到岩杵河，同俄使、滨海省长兼司

令巴拉诺夫谈判边界事宜。吴、依二人,针锋相对,以如山的事实,打碎了俄方的谎言与伪证,寸土不让,争回了被沙俄侵占的黑顶子地方,并重申了我国图们江航行权。先后签订了《中俄珲春东界约》和另外六个勘界议定书,从乌苏里江到图们江的中俄边境上,共立界碑十一个,同知府李金镛率丁甲筑哨卡,补立"萨"、"玛"、"拉"字碑和以汉字排列的二十六个小界碑。

就在同俄人谈判归来那天，吴大澂和依克唐阿策马同行于黑顶山下,吴见边陲巩固,将军智勇,情为之所动,奋笔疾书"龙虎"二字于花岗岩上。书法雄劲盘曲,后人移刻于碑上,以颂其功德,即龙虎石刻。

吴大澂和铜柱界标

王 瑛

在吉林省东部珲春市附近中苏界山长岭子山口处,有一标明中俄国界的铜铸的柱形界标。铜柱系由清政府都察院左副都御史吴大澂,于光绪十二年(1886)奉命来吉林会勘中俄边界后而设立的。

咸丰十年(1860)沙俄乘英法联军发动第二次鸦片战争之机，迫使清政府与之签订了不平等的《中俄续增条约》(即北京条约),夺去了我乌苏里江以东大片领土，第二年又签署了一个由沙俄一手炮制的“乌苏里江至海交界记文”，规定自乌苏里江口至图们江口设立八个木制界牌，用以标明这段中俄边界。其中有个界牌要在距图们江口十公里处设立，可是沙俄在立牌时将界牌设在距图们江口按俄里的二十二里处(等于二十三公里)，不仅又侵占了中国领土，而且截断了中国的出海口。其他地方的界牌虽然也都设立了，但沙俄侵略者常常采用卑劣的手段雇用中国人，一夜之间把木牌驮在马背上向我方移动不少公里。如据1881年吉林地方当局调查，土尔河以南宽阔平坦的一大片土地被沙俄侵占了；1883年，俄人又占据了珲春附近的黑顶子，并在那里设立了哨卡。有的地方，沙俄则把木牌子干脆毁掉，如珲春至图们江二百五十多公里的地方，界牌竟不见了，妄图蚕食更多的中国领土。

在这种形势下，光绪十一年(1885)，清政府派吴大澂为钦差大臣与沙俄交涉。吴大澂来吉林后，经过反复力争，中俄双方签订了《重勘珲春东界约记》，终于将黑顶子归还中国，并决定在中俄边界上增添一些石制界牌，以防沙俄再向我国领土扩张。在会谈中沙俄对图们江海口恃强要赖，死不归还中国。

这次会勘边界，吴大澂表现了极大的爱国热忱，亲往勘查，重定界约，竖牌补记，绘制地图，争回了黑顶子一片国土，对扼制沙俄侵略作出了贡献。但他在勘查之后，对祖国东部边疆的安全，尤其对沙俄随意移动界牌、蚕食我国领土的卑劣行径一直放心不下，于是在中俄边界上又添立一个铜柱，以示保护边界的决心。

铜柱上刻有吴大澂亲笔用篆书书写的“疆域有表国有维，此柱可立不可移”十四个大字的铭文。可是这个铜柱现已不在原处。1900年沙俄乘“八国联军”侵华之机，出兵东北，将它毁成两段，运回国内，存放在伯力博物馆里。

吴督护禄贞去思碑

王　瑛

民国初年，在吉林省延吉县布尔哈通河南岸，原延吉边务督办公署大院外西南隅，立起一座石碑，名为“吴督护禄贞去思碑”，是当年延吉各族各界人民在吴禄贞调离延吉后，为怀念他在建设延吉、捍卫延边疆土的卓著功勋而建立的。这块石碑在民国十五年(1926)移建于延吉西公园南大门内一百多米处，围栽松树。此碑虽然在“九一八”事变后，被日本侵略者毁掉了，但是吉林人民对吴禄贞的爱国事迹是忘不掉的。

吴禄贞，1880年生，字绶卿，湖北云梦县人，1897年入湖北武备学堂，第二年被派往日本陆军士官学校留学。当时，孙中山正在日本，吴禄贞受孙中山民主革命思想的启迪而成为政治革新派人物。回国后，初任湖北将弁学堂教员，1904年调往北京任练兵处马队监督，同年7月随东三省总督徐世昌来奉天，任新军督练处监督。1907年任延吉边务帮办,1909年升任延吉边务督办。

吴禄贞是“间岛问题”尖锐化后，受命担负起解决延吉边界事务的。1907年6月，他率领八名测绘和书记人员，从吉林省城出发，跋山涉水，冒暑就道，途经延吉、珲春，沿图们江登上长白山，历时七十三天，行程一千三百多公里，详细勘察了延边的山山水水，绘制了一套《延吉边务专图》，并主持撰写了一份十万余言的《延吉边务报告书》。报告中以大量的历史资料、地理考证和建置沿革等，说明延边地区自古以来就是中国领土，有力地揭露了日本侵略者制造的所谓“间岛问题”。吴禄贞在《报告》中说：“图们江北岸之地，绝无所谓间岛，并无未经确定之领土。”因而主张“国境所关，尺地皆金”，表现了吴禄贞捍卫国家主权炽烈的爱国主义热情。吴禄贞在任期间，对延边的军事、政务也颇有建树。

吴禄贞调离延吉后，任陆军第六镇统制、山西巡抚等职。辛亥革命时，他密谋联合新军合击清军，后不幸被袁世凯派人刺杀于石家庄车站。1912年，南京临时政府成立后，孙中山追授他为大将军。

林伯渠游龙潭山

董　坤　杜　确

光绪三十三年(1907)夏,同盟会员林伯渠到了吉林省城,任"劝学总所兼宣传所"的会办,负责创办新学堂,并积极进行革命活动。1908年春末,林伯渠偕友游吉林龙潭山,赋诗言志留下佳句:

山为长白山尾,山顶有龙潭,风景绝佳,绝句二首:

龙潭铁锁久销沉,山鬼无情忧夕阴;
眼见群芳消歇尽,何人重有惜花心。
揽胜绝顶南天门,脚踏行云马可奔;
无限兴亡无限感,兀揩倦眼对乾坤。

龙潭山位吉林市城东,又名尼什哈山(尼什哈为满语,意为小鱼)。据《吉林外纪》记载:"山四面陡壁,西北有车道盘旋而上,至其巅,林木尤胜,南行百余步,路旁有一池,石砌,相传谓鲫池。北有龙潭,周五十余步,水色碧而黑,无论水旱,无涨无落。周围山高树密,遮盖水面,望之寂然。游人以绳系石投之,数十丈未得其底。相传初时潭中有铁锁,系于井木之上,撼之则山树动摇,后立庙会,男女观者屡屡亵渎,一夜大风暴雨,雷电交作,井木断折,铁锁亦失所在。潭之西南有二石穴,外狭内阔,伏而入之可以容身,无敢深入者,探之黑暗有风。又东南林内有桦树一株高九丈余,径二尺上下,标直枝叶剪齐……"

乾隆十九年(1754)八月间,乾隆皇帝"巡幸"吉林,在吉林住了八天,曾游龙潭山,祭祀了龙潭,封上述桦树为神树,在龙潭山观音堂留下了"福佑大東"的题字。

龙潭山以潭名山, 壁立江东。全山古木参天, 是一处天然的森林植物园。解放后辟为公园,一年四季游人如织,来此可领略古城遗风,又可享受秀丽江山的大自然风采;曲径通幽,别有洞天;龙潭隐秀,市区桃园。

中山陵的石狮

金意庵

改民元后,定安亲王府家族,坐吃山空,生计日益困窘。为了维持生活,即将府第向正金银行抵押贷款,届期无力偿还本息,又托纤手出售(解放前老北京买卖房屋的经手介绍人叫为纤手,又叫拉房纤的,形成一种职业)。经人介绍由几家建筑商合资买下,成立一个所谓新记公司,拆除、出售砖瓦木料,转手渔利。北京广济寺失火后,施主集资重建,所使用的琉璃瓦、楠木梁柁以及黄松木料等都是定亲王府的旧料。南京

修建中山陵，该公司又把定亲王府第的石狮售给南京。这对石狮，用汉白玉琢成，造型雄伟壮观，为不可多得的珍贵文物。现在中山陵的大石狮就是定亲王府的故物。当起运时，北平《晨报》星期画刊曾发表漫画，并载定亲王府石狮南下的消息，确切日期已记不清了。

综上情况，我想对于考据古建筑以及记述史事，有一定用处，特写出来，以供历史研究的参考。

后　记

《鸡林采珍》是中央文史研究馆主持编写的《新编文史笔记》丛书的吉林分册。据文献载，吉林二字最早见于《旧唐书·白居易传》："鸡林贾人求市颇切，自云：本国宰相每以一金换一篇，其伪者，宰相辄能辨别之。"刘禹锡有"口传天语到鸡林"的诗句。"鸡林"的"鸡"与"吉"谐音。《盛京通志》中写为"吉临乌喇"，有的书写为"鸡林乌喇"（合译为沿江或江边）。康熙二十四年（1685），清圣祖爱新觉罗·玄烨下令"通称吉林"。

吉林，美丽富饶，人杰地灵。但这里曾是清朝的世袭领地，有半个世纪遭受沙俄、日本帝国主义铁蹄的践踏，留下了伪满洲国的许多遗迹；涌现了很多可歌可泣的事件和风云人物，有其独到的风土人情和民族特点。这在《政治风云》、《名人轶事》、《抗敌史迹》、《伪满索记》、《民族风情》、《特产饮食》、《剧坛影事》等栏目中均有体现。

收进本书的八十多位作者的一百二十三篇笔记中,有四十四篇是“三亲”材料;其余绝大多数是学者名家文史研究(包括亲自调查)的结晶。我们本着“古为今用”、“拾遗补缺”、“以地方为主”的原则,广采博集,动员馆内外力量,力求确保史料新、真实可靠,历时八个多月,使书稿得以脱手,在弘扬民族优秀文化,促进社会主义精神文明建设方面作出了努力。书中各篇章几乎皆为昔日的珍闻,它不仅展示过去,而且更为重要的是启迪现在和未来。

本书在编写过程中,承蒙吉林省社科院副院长、研究员王承礼,东北师大历史系教授常城,吉林省民族研究所原副所长、副研究员张旋如,长春市城乡规划设计院研究室主任、副研究员杨照远,吉林省革命博物馆副研究员萧华,吉林省政协文史资料委员会编辑于海鹰等专家学者的精心审阅、修改原稿;在征稿和收集照片等工作中,吉林省地方志编纂委员会副主任刘凤仪和吉林省革命博物馆副馆长苏楠等同志给予了大力帮助;参加编辑工作的还有李明忠、白大水、王秀红、杨军胜、崔小平、尚冰心、孙志明、仲建国等同志;特别应该提出的是,吉林省文史研究馆馆员刘迺中认真审阅了全部稿件,提出了很好的修改意见,谨在此一并致以深切的谢意。

由于时间仓促,水平有限,如果有疏漏之处,敬请读者批评指正。

编　者